L'Illusion comique

Du même auteur
dans la même collection

Le Cid (édition avec dossier).
Horace (édition avec dossier).
L'Illusion comique (édition avec dossier).
La Place Royale (édition avec dossier).
Théâtre I : Mélite – La Veuve – La Galerie du Palais – La Suivante – La Place Royale – L'Illusion comique – Le Menteur – La Suite du Menteur.
Théâtre II : Clitandre – Médée – Le Cid – Horace – Cinna – Polyeucte – La Mort de Pompée.
Théâtre III : Rodogune – Héraclius – Nicomède – Œdipe – Tite et Bérénice – Suréna.
Trois Discours sur le poème dramatique (édition avec dossier).

CORNEILLE

L'Illusion comique

CHRONOLOGIE
PRÉSENTATION
NOTES
DOSSIER
BIBLIOGRAPHIE
LEXIQUE

par Jean-Yves Huet

Édition mise à jour en 2008

GF Flammarion

In memoriam
Ghislaine Allamand

Édition mise à jour en 2008.
ISBN : 978-2-0812-1773-7

SOMMAIRE

CHRONOLOGIE 6

PRÉSENTATION 15

L'Illusion comique

Acte premier 41
Acte II 51
Acte III 75
Acte IV 97
Acte V 120
Examen 143
Appendice 145

DOSSIER

1. Le mélange des genres dans *L'Illusion comique* 149
2. Le personnage de Matamore 154
3. L'apologie du comédien 163
4. Pratiques de l'illusion théâtrale : Corneille et d'Aubignac 167
5. Le décor dans *L'Illusion comique* : un problème de scénographie 173

BIBLIOGRAPHIE 179

LEXIQUE 187

CHRONOLOGIE

	REPÈRES HISTORIQUES ET CULTURELS	VIE ET ŒUVRES DE CORNEILLE
1606	Naissance de Rembrandt.	Naissance à Rouen, le 6 juin.
1615	Mariage de Louis XIII et d'Anne d'Autriche.	
1615-22		Études au collège des jésuites de Rouen.
1617	Assassinat de Concini et exil de Marie de Médicis à Blois ; ascension de Luynes, favori du roi.	
1618	Début de la guerre de Trente Ans.	
1622	Richelieu devient cardinal. Naissance de Molière. Rubens entreprend au palais du Luxembourg le cycle de la *Vie de Marie de Médicis.*	
1624	Richelieu accède au conseil du roi. *Lettres* de Guez de Balzac.	Licence en droit. Il devient avocat stagiaire au parlement de Rouen.
1629	Richelieu, premier ministre. Après la fin du siège de La Rochelle, forteresse protestante (1628), l'édit d'Alais revient sur les privilèges accordés aux réformés.	
1629-30		*Mélite* [1], comédie. Grand succès. Installation de la troupe de Montdory à Paris.

1. Pour la datation des œuvres, nous indiquons le plus souvent la saison théâtrale (de l'automne au printemps, soit deux dates) au cours de laquelle a eu lieu la représentation, faute de renseignements plus précis.

1630	Journée des dupes : Richelieu triomphe de ses ennemis et assoit son autorité. Saint-Amant : *Œuvres.*	
1630-31		*Clitandre*, tragi-comédie
1631	Révolte de Gaston d'Orléans. Fondation de la *Gazette* de Théophraste Renaudot. Mairet : *Silvanire.*	
1631-32		*La Veuve*, comédie
1632	Exécution du duc de Montmorency, protecteur de Théophile de Viau. Naissance de Lully et de Vermeer.	*La Galerie du Palais*, comédie.
1632-33		*La Suivante*, comédie.
1633	Rétractation de Galilée. Gougenot : *La Comédie des comédiens* ; Scudéry : *La Comédie des comédiens.*	
1634	Mairet : *Sophonisbe* ; Rotrou : *Hercule mourant*. Philippe de Champaigne : portrait de Richelieu. Naissance de Mme de La Fayette.	*La Place royale*, comédie.
1634-35		*Médée*, tragédie (la première dans la carrière de Corneille).

	REPÈRES HISTORIQUES ET CULTURELS	VIE ET ŒUVRES DE CORNEILLE
1635	Entrée en guerre de la France contre l'Espagne. Fondation de l'Académie française. Travaux de François Mansart à Blois.	Début de la révolte des Croquants. Corneille participe à la société des Cinq Auteurs recrutés par Richelieu, et reçoit une pension du cardinal. *La Comédie des Tuileries*, première œuvre du groupe, est représentée. *L'Illusion comique* (le texte est publié en 1639).
1636	Perte et reprise de Corbie par la France. Tristan L'Hermite : *La Mariane*. Naissance de Boileau. Saint-Cyran prend la direction de Port-Royal des Champs.	
1637	Révolte de l'Écosse contre Charles Ier. Descartes : *Discours de la méthode*. Desmarets de Saint-Sorlin : *Les Visionnaires*. Les Cinq Auteurs donnent *L'Aveugle de Smyrne*, sans la participation de Corneille.	Début janvier, *Le Cid*, tragi-comédie. La « querelle du *Cid* » occupe toute l'année. En décembre, Chapelain rédige les « *Sentiments de l'Académie sur* Le Cid », qui mettent un terme à la polémique. Corneille est très affecté par ce qu'il interprète comme une condamnation. Le roi accorde au père de Corneille des lettres de noblesse.
1638	Naissance de Louis XIV.	
1639	Révolte des Va-Nu-Pieds en Normandie. Naissance de Racine.	À la mort de son père, Corneille devient tuteur de ses cinq frères et sœurs.
1640	Occupation de l'Artois par les Français. Jansenius : l'*Augustinus*. Séjour de Poussin à Paris.	Après deux ans de silence, *Horace*, tragédie romaine.
1641	Cromwell au pouvoir en Angleterre. Complot du comte de Soissons. Descartes : *Méditations métaphysiques*.	Épouse Marie de Lampérière (dont il aura six enfants) grâce à l'intervention de Richelieu qui vient à bout des réticences du père de la jeune fille.

1641-42		*Cinna*, tragédie.
1642	Complot de Cinq-Mars. Début de la Révolution en Angleterre. Mort de Richelieu le 4 décembre. Condamnation de l'*Augustinus* par Urbain VIII. Rembrandt : *La Ronde de nuit*.	
1642-43		*Polyeucte martyr*, tragédie chrétienne.
1643	Mort de Louis XIII, le 14 mai. Régence d'Anne d'Autriche. Victoire du jeune Condé à Rocroi contre les Espagnols. Arnauld : *De la fréquente communion*.	
1643-44		*La Mort de Pompée*, tragédie. *Le Menteur*, comédie
1644-45		*La Suite du Menteur*, comédie. *Rodogune*, tragédie.
1645	Victoire française à Nördlingen. François Mansart commence la construction de l'église du Val-de-Grâce. Philippe de Champaigne : *Adoration des bergers.*	
1645-46		*Théodore, vierge et martyre*, tragédie chrétienne.

	REPÈRES HISTORIQUES ET CULTURELS	VIE ET ŒUVRES DE CORNEILLE
1646	Prise de Dunkerque. Le Bernin : *Transverbération de sainte Thérèse.*	
1646-47		*Héraclius*, tragédie.
1647	Charles Ier livré au Parlement par les Écossais. Vaugelas : *Remarques sur la langue française.* Rotrou : *Venceslas.*	Après deux échecs, Corneille est élu à l'Académie française. Floridor, chef de la troupe du Marais, passe à l'Hôtel de Bourgogne. Corneille le suit.
1648	Fin de la guerre de Trente Ans. Début de la Fronde parlementaire. Création d'une Académie de peinture et de sculpture sous la direction de Le Brun.	
1649	Exécution de Charles Ier. Fin de la Fronde parlementaire. Descartes : *Les Passions de l'âme.* Madeleine de Scudéry commence la publication du *Grand Cyrus.*	
1649-50		*Don Sanche d'Aragon*, comédie héroïque. *Andromède*, tragédie à machines (commande de Mazarin). Début 1650, Corneille est nommé par le roi procureur des États de Normandie, en remplacement du titulaire précédent, compromis avec les Frondeurs. Il doit vendre sa charge d'avocat.

1650	Fronde des Princes et arrestation de Condé. Mort de Descartes et de Rotrou. Vélasquez : portrait d'Innocent X.	
1651	Alliance du parlement de Paris et des Princes. Exil de Mazarin. Scarron : *Le Roman comique.*	*Nicomède*, tragédie. L'exil de Mazarin entraîne le retour de l'ancien procureur. Corneille est sans emploi.
1651-52		*Pertharite*, tragédie. Échec cuisant. Corneille s'éloigne du théâtre et se consacre à la traduction en vers de *L'Imitation de Jésus-Christ*, dont la publication se poursuit jusqu'en 1656.
1652	Bataille entre Turenne et Condé à la porte Saint-Antoine en juillet. Retour du roi à Paris. Mort de Georges de La Tour.	
1658		Corneille est présenté à Fouquet, qui l'engage à écrire pour lui.
1659	Paix des Pyrénées qui accorde l'Artois et le Roussillon à la France. Molière : *Les Précieuses ridicules.* Bossuet : *Sermon sur l'éminente dignité des pauvres.* Somaize : *Dictionnaire des Précieuses.* Naissance de Purcell.	*Œdipe*, tragédie, dont le sujet a été suggéré à Corneille par Fouquet. Triomphal retour à la scène.

	REPÈRES HISTORIQUES ET CULTURELS	VIE ET ŒUVRES DE CORNEILLE
1660	Mariage de Louis XIV et de Marie-Thérèse d'Autriche. Pascal : *Discours sur la condition des Grands.*	Grande édition en trois volumes du Théâtre de Corneille. Chaque volume est précédé d'un *Discours sur le poème dramatique* ; chaque pièce, soigneusement révisée, est accompagnée d'un *Examen*.
1661	Mort de Mazarin. Rivalité de Colbert et Fouquet, « héritiers » du cardinal. Début du règne personnel de Louis XIV. Arrestation de Fouquet, surintendant des Finances. La Fontaine : *Élégie aux Nymphes de Vaux*. Molière : *L'École des femmes.*	*La Toison d'or*, tragédie à machines, donnée au Marais. Succès immense.
1662	Colbert inaugure la politique dirigiste de Louis XIV, en réorganisant la manufacture des Gobelins. Mort de Pascal. Bossuet prêche le *Carême du Louvre.* Mme de La Fayette : *La Princesse de Montpensier.*	*Sertorius*, tragédie. Pierre et Thomas Corneille s'installent à Paris.
1663	Invasion de l'Autriche par les Turcs. Le Brun premier peintre du roi.	*Sophonisbe*, tragédie. Querelle entre les partisans de Corneille et l'abbé d'Aubignac qui a vivement critiqué les deux dernières pièces du poète. Corneille est inscrit sur la liste des gens de lettres qui recevront une pension du roi.
1664	Condamnation de Fouquet. Racine : *La Thébaïde.*	*Othon*, tragédie.

1665	Séjour en France du Bernin. Molière : *Dom Juan*. La Rochefoucauld : *Maximes.* Racine : *Alexandre.*	Mort de Charles, l'un des fils de Corneille.
1666	Déclaration de guerre à l'Angleterre. Incendie de Londres. Molière : *Le Misanthrope.* Boileau : *Satires.* Furetière : *Le Roman bourgeois.*	*Agésilas*, tragédie.
1667	Guerre de dévolution. Début de la construction de la colonnade du Louvre (Claude Perrault). Racine : *Andromaque.*	*Attila*, tragédie.
1670	Racine : *Bérénice.* Molière : *Le Bourgeois gentilhomme.* Édition des *Pensées* de Pascal. Bossuet : *Oraison funèbre d'Henriette d'Angleterre ; Sermon sur la mort*. Début de la construction de l'Hôtel des Invalides (Libéral Bruant).	*Tite et Bérénice*, comédie héroïque, créée par la troupe de Molière. Présentée au même moment, la *Bérénice* de Racine éclipse rapidement la pièce de Corneille, dont les succès se font rares.
1671		*Psyché*, comédie-ballet, en collaboration avec Molière, Quinault et Lully.
1672	Guerre de Hollande. Passage du Rhin. Guillaume III d'Orange stathouder. Donneau de Visée fonde le *Mercure galant*. Molière : *Les Femmes savantes.* Racine : *Bajazet*.	*Pulchérie*, comédie héroïque. Seul le théâtre du Marais accepte de monter la pièce, qui rencontre un succès mitigé.
1673	Mort de Molière. Racine : *Mithridate.*	

	REPÈRES HISTORIQUES ET CULTURELS	VIE ET ŒUVRES DE CORNEILLE
1674	Occupation de la Franche-Comté. Victoire de Turenne en Alsace. Racine : *Iphigénie*. Boileau : *Art poétique*. Malebranche : *De la Recherche de la vérité*.	*Suréna*, tragédie. Corneille perd son second fils.
1675		Jusqu'en 1682, son nom disparaît de la liste des pensions. Corneille s'est retiré de la scène, mais ses pièces sont régulièrement reprises.
1684	Trêve de Ratisbonne. Bayle lance les *Nouvelles de la République des Lettres*.	Mort à Paris, le 1er octobre.

Présentation

Les premières représentations de *L'Illusion comique*

L'Illusion comique fut publiée en 1639, mais la date exacte des premières représentations ne nous est pas connue. La pièce prend place dans la production de Corneille entre *Médée* et *Le Cid*, donc entre l'hiver 1634-1635 et janvier 1637. Quelques indices permettent d'établir une chronologie plus précise. M. R. Garapon, dans son édition critique de la pièce, se fonde sur le décompte de Corneille lui-même qui, dans l'*Examen de L'Illusion comique*, rédigé et publié en 1660, se flatte du succès toujours vif de son « poème », « bien qu'il y ait plus de vingt-cinq ans qu'il est au monde ». Cette indication, si on la prend à la lettre, interdit de situer la date de la première après la fin de 1635. D'autre part, la distribution des rôles semble autoriser quelques hypothèses qui vont dans le même sens. Il paraît assuré, en effet, que la pièce a été jouée par les comédiens de la troupe du Marais avec laquelle Corneille collabore étroitement depuis ses débuts en 1629, et dont on sait qu'elle a donné *Médée* et *Le Cid*. Or la troupe ne dispose pas avant l'année 1635 d'acteur capable de jouer le personnage du fanfaron. Ce sont les comédiens rivaux de l'Hôtel de Bourgogne qui se taillent un franc succès en montant les pièces nouvelles où se distingue le soldat bravache. La troupe du Marais est d'autant plus soucieuse de séduire le public qu'elle traverse à la fin de 1634 une crise grave. Par décision du roi, quatre des meilleurs éléments de la compagnie passent à l'Hôtel de Bourgogne, devenue la

Troupe royale. Montdory, directeur du Marais, doit suspendre les représentations pendant une quinzaine de jours, avant de rouvrir le 31 décembre 1634, une fois la troupe réorganisée. C'est dans les mois qui suivront qu'il recrute Jornain, Bellemore à la scène, qui se fera vite une spécialité du rôle du matamore : le dramaturge André Mareschal, auteur en 1635 (?) du *Railleur ou la Satyre du temps* (qui a peut-être donné l'occasion à Bellemore de faire ses preuves dans sa nouvelle troupe avec le rôle de Taillebras, le fanfaron de la pièce), composera explicitement à son intention en 1638 *Le Véritable Capitan Matamore*, dont la préface contient un hommage au talent du comédien, « ce vivant Matamore du théâtre du Marais, cet original sans copie, et ce personnage admirable qui ravit également et les Grands et le Peuple ». Autant d'éléments qui invitent à retenir l'été ou l'automne 1635 comme époque de la création de *L'Illusion comique.*

L'IMAGINATION AU POUVOIR

Par bien des aspects, *L'Illusion comique* appartient à son temps. L'intérêt porté à l'artifice théâtral, qui est au cœur de la comédie de Corneille, apparaît comme un trait caractéristique de l'âge baroque. La morale, religieuse ou mondaine, répète à l'envi, après Montaigne et avant Pascal, le lieu commun de la vanité du monde et de la duplicité des hommes, dont la fausseté est le plus fréquemment comparée à celle de la scène, vouée à l'apparence sur un fond de toiles peintes. La poésie, celle de Théophile de Viau ou de Saint-Amant, privilégie les images du changement, les jeux séduisants mais décevants d'une réalité mouvante et au fond insaisissable, les reflets trompeurs de l'eau et du miroir où les formes instables se renversent pour s'abîmer en leur contraire et ne plus laisser la moindre certitude à l'esprit, comme le constate Étienne Durand dans ses *Stances à l'inconstance* :

> Notre esprit n'est que vent, et comme un vent volage,
> Ce qu'il nomme constance est un branle rétif :
> Ce qu'il pense aujourd'hui demain n'est qu'un ombrage,
> Le passé n'est plus rien, le futur un nuage,
> Et ce qu'il tient présent il le sent fugitif.

Le monde sensible ne garantit plus la vérité du spectacle des choses et la vision n'est plus savoir. L'apparence devient un mystère. Dans le même temps, pour quelques savants modernistes elle devient un problème. Le mécanisme de la vue et la propagation de la lumière constituent de nouveaux objets d'étude et d'expérimentation : Descartes rédige sa *Dioptrique* en 1634, après le *Traité sur la lumière.* Il se fait fort de rendre compte des phénomènes optiques les plus divers, et cède parfois à la curiosité des mondains pour expliquer certains tours d'illusionniste. Ainsi définit-il plaisamment, dans une lettre de 1629, l'optique comme « la science des miracles, parce qu'elle enseigne à se servir si à propos de l'air et de la lumière, qu'on peut faire voir par son moyen toutes les mêmes illusions qu'on dit que les magiciens font paraître par l'aide des démons ». Alors qu'il entreprend de réduire les mystères du monde physique à l'ordre rigoureux et souverain d'une mathématique universelle, le rationalisme scientifique éprouve pourtant le besoin de recourir, même pour s'en moquer, à l'imagerie encore bien vivante des mages et de leurs pouvoirs occultes ; l'homme de science contrôle et manipule les phénomènes inexpliqués, il peut les reproduire à volonté et surtout en rendre un compte exact, laissant loin derrière lui les pratiques artisanales des sorciers ambulants. Mais si la raison entre ainsi en concurrence avec le merveilleux pour en triompher, on voit qu'elle peut également consentir à le servir par jeu, et perfectionner ses artifices. Les nombreux travaux contemporains sur la perspective, en Italie comme en France, trouvent une application directe dans la conception des décors de théâtre. Le baroque romain, qui déroule les grands panoramas illusionnistes sous les voûtes des palais et les coupoles des églises, est aussi l'inspirateur de grandes mises en scène que Mazarin s'appliquera à faire goûter à la cour de France. Les arts du spectacle peuvent ainsi apparaître comme le refuge et la consolation d'un monde « désenchanté », d'une magie sans sorcier.

Le théâtre en France en 1635

Le visible et sa représentation sont de toute évidence l'enjeu d'un pouvoir. La maîtrise des apparences ne manque donc pas de retenir l'attention des politiques soucieux de définir une image de l'autorité qui en traduise la force. Héritiers de la dynastie des Valois qui, tout au long du XVIe siècle, avait transformé l'institution monarchique dans le sens de l'absolutisme, avant de sombrer dans le chaos des guerres civiles, les Bourbons se devaient de restaurer puis de parfaire l'œuvre entreprise. L'art de cour avait déjà donné la preuve que l'autorité monarchique était (également) affaire de mise en scène : gravures et médailles, fêtes et ballets appartenaient à l'héritage des princes de la Renaissance française. Henri IV, le fondateur de la dynastie nouvelle, avait inventé dans la capitale qu'il venait de conquérir la formule inédite d'un urbanisme régalien : place Royale et place Dauphine, des façades uniformes encadraient un espace très étroitement défini, symbole évident et spectaculaire de la volonté du maître d'imposer à son peuple le pouvoir régulateur et omniprésent d'un monarque architecte. La forme de la ville se soumettrait à la discipline de l'ordre perspectif. De ce point de vue, l'espace scénique apparaît comme le modèle en réduction de l'espace public, et l'illusion dramatique, qui consacre l'emprise du dramaturge sur son public, devient l'analogue de l'illusion politique.

Ministre tout-puissant du jeune Louis XIII à partir de 1624, et ordonnateur implacable de l'absolutisme moderne, le cardinal de Richelieu entreprend la mise sous tutelle des artistes et des écrivains (qui sera poursuivie et achevée par Louis XIV), au moyen d'institutions nouvelles, étroitement surveillées par lui, et qui devront à la fois fixer les normes du goût officiel et dresser la liste des bénéficiaires des différents emplois et pensions accordés par le roi. L'Académie française, fondée en 1635, fera ainsi l'essai de son influence à l'occasion de la querelle du *Cid*. Par politique, mais aussi par goût, Richelieu accorde toute son attention à l'art du théâtre. Il se prend même à jouer les dramaturges, en confiant à cinq auteurs en vogue (dont Corneille et Rotrou) le soin de développer des canevas de son invention : en 1635 est donnée *La Comédie des Tuileries*. Il se montre à la fois libéral et autoritaire, comme l'attestent ses relations difficiles et complexes avec Corneille. De Rome, Mazarin l'informe des innovations du théâtre italien, celles des poètes, mais aussi celles des ingénieurs et des décorateurs en renom qu'on pourrait éventuellement faire venir en France. À Paris, il accorde son soutien aux doctes qui, dans l'entourage de Jean Chapelain, puis officiellement à l'Académie à partir de 1635, s'efforcent d'acclimater à la scène française les théories élaborées en Italie par les commentateurs de la *Poétique* d'Aristote. Ils veulent eux aussi imposer la suprématie des grands genres du théâtre antique, tragédie et comédie, au détriment de la moderne tragi-comédie qui recouvre la plus grande partie de la production contemporaine, et faire agréer aux dramaturges comme au public les grands principes de l'unité et de la clarté de la composition, et par conséquent de l'action dramatiques, seuls vrais critères à leurs yeux du jugement de goût. C'est l'enjeu de la querelle ouverte des années 1630, qui oppose d'un côté les partisans des règles héritées des Anciens, fondateurs de l'esthétique classique qui régnera sans partage au lendemain de la Fronde, et de l'autre les défenseurs des genres modernes qui ne relèvent pas des normes définies par Aristote et dispensent ainsi leurs auteurs de se conformer aux préceptes contraignants de la tradition savante. En 1630 précisément, Chapelain adresse à l'un de ses adversaires, Antoine Godeau, une lettre (communément désignée comme « la lettre des vingt-quatre heures ») où il réaffirme la nécessité de contenir l'action du poème dramatique dans la limite d'une seule journée, selon une interprétation étroite de la *Poétique*, afin d'obtenir une concentration maximale des événements du drame, réduits à l'essentiel de ce dont il est besoin pour garantir à l'intrigue sa cohérence. On trouve un écho de ces exigences du parti des doctes, qui commençait alors à s'imposer, dans le récit que fait Corneille de l'accueil critique de sa première comédie, *Mélite*, représentée en 1629 :

> Un voyage que je fis à Paris pour voir le succès de *Mélite* m'apprit qu'elle n'était pas dans les vingt-quatre heures. C'était l'unique règle que l'on connût en ce temps-là. (*Examen de Clitandre*)

La revendication d'un théâtre régulier qui s'autorise d'Aristote et de la grande tradition lettrée témoigne éloquemment de l'importance nouvelle que revêt l'art dramatique. Réclamer l'arbitrage des Anciens et les proposer pour modèles, c'était vouloir donner au théâtre ses lettres de noblesse, une fois apaisés les débordements roturiers de la génération des modernes de 1630, les Du Ryer, Rassiguier, Rotrou, que les règles hérissaient. Sans doute avaient-ils largement contribué à ramener dans les salles un public choisi qui ne se satisfaisait pas de l'énormité de la farce. Aux yeux des doctes cependant, ils faisaient encore trop de concessions au spectaculaire. Le public auquel songeaient les partisans des règles constituait l'élite cultivée du pays, formée dans les collèges jésuites qui incluaient dans leur enseignement l'étude et la représentation d'un vaste répertoire de pièces néolatines, composées spécialement pour ces spectacles scolaires. Il importait donc de faire du théâtre une affaire de connaisseurs, ce qui s'entend aussi bien des auteurs que du public, et de fonder ainsi une tradition nationale, qui ferait jeu égal avec ses rivales étrangères et pourrait se prévaloir de la meilleure part de l'héritage antique.

CORNEILLE EN 1635 : ÉLOGE DE LA COMÉDIE

Né en 1606 à Rouen, fils d'un avocat au parlement, il fait ses études au collège des jésuites de la ville, avant de devenir lui aussi avocat. Amateur de théâtre, il fait la connaissance de Montdory, directeur d'une troupe itinérante à qui il confie sa première pièce, *Mélite*, une comédie. La pièce est donnée au cours de la saison 1629-30 dans une salle de la capitale. Le succès est tel qu'« il établit une nouvelle troupe de comédiens à Paris », comme le rappellera Corneille en 1660, dans l'*Examen de Mélite*. Dès ce moment, en effet, Montdory s'installe à Paris et, après quelques saisons dans divers jeux de paume [1] du quartier du Marais, se fixe rue Vieille-du-Temple en 1634, où il dirige alors la deuxième salle permanente de spectacle à Paris. La première est établie depuis 1629 à l'Hôtel de Bourgogne.

Avant *L'Illusion comique*, Corneille donne cinq comédies, une tragi-comédie et une tragédie, *Médée*. Il ne reviendra au genre comique qu'une seule fois, avec le diptyque du *Menteur* et de *La Suite du Menteur* en 1644-45. Appartenant à la génération de 1630, dont il apparaît très rapidement comme le meilleur représentant, Corneille s'en distingue toutefois sur un point essentiel : alors que tous ses jeunes rivaux servent avec enthousiasme les formes modernes de la tragi-comédie et de la pastorale, il obtient un franc succès dans un genre ancien, mais très peu pratiqué alors, la comédie.

La comédie selon Corneille renonce aux procédés et aux personnages traditionnels et caricaturaux du comique populaire où s'illustraient les acteurs italiens.

1. Faute de salle appropriée, c'est là que se produisaient ordinairement les troupes errantes.

S'adressant à l'élite policée de son temps, il met en scène de jeunes oisifs occupés à débattre subtilement des mystères, des surprises, et des joies de l'amour. Moins « réaliste » que « naturel » (au sens du naturel sophistiqué que les salons précieux inventent à la même époque), c'est le ton qui fait l'originalité de ces comédies qui doivent beaucoup à la littérature pastorale et à la place qu'elle accorde à l'analyse du sentiment amoureux. Corneille mesure pleinement l'importance de son innovation, qu'il définit sans modestie dans l'*Examen de Mélite* en 1660 :

> La nouveauté de ce genre de comédie, dont il n'y a point d'exemple en aucune langue, et le style naïf, qui faisait une peinture de la conversation des honnêtes gens, furent sans doute cause de ce bonheur surprenant, qui fit alors tant de bruit.

Le choix de la comédie distingue Corneille de ses rivaux, et relève chez lui d'une stratégie originale, comme l'a signalé M. G. Forestier. La polémique oppose à l'époque, rappelons-le, partisans et adversaires des règles, c'est-à-dire défenseurs de la tragédie régulière et sectateurs de la tragi-comédie, qui ignore toute mesure et toute tradition. En abordant un genre ancien, mais délaissé par ses contemporains, et en le soumettant à un traitement nouveau qui néglige les règles, comme l'exemple de *Mélite* le montre, Corneille occupe une position singulière entre les deux camps. En revanche, pour sa seconde pièce, *Clitandre*, il adopte le parti inverse : il s'agit d'une tragi-comédie (genre moderne) qui accumule à dessein les péripéties, mais qui feint de respecter la règle fameuse de l'unité de temps. En 1660, Corneille présentera ce second essai comme un simple pari, destiné à répondre aux objections que lui avaient values l'innovation de *Mélite* :

> Pour la justifier contre cette censure par une espèce de bravade, et montrer que ce genre de pièces avait les vraies beautés de théâtre, j'entrepris d'en faire une régulière (c'est-à-dire dans ces vingt et quatre heures), pleine d'incidents, et

> d'un style plus élevé, mais qui ne vaudrait rien du tout ; en quoi je réussis parfaitement.

S'il suit à l'occasion la mode lancée par les dramaturges de sa génération, il le fait sans conviction. De même, son ralliement progressif à la doctrine classique au cours des années 1630 admettra bien des réticences et des conditions, et Corneille se réservera toujours le droit de transgresser les règles si son sujet l'exige.

LE CAS SINGULIER DE *L'ILLUSION COMIQUE*

Avec la tragédie de *Médée*, Corneille a maintenant reconnu presque tous les genres contemporains et a donné à la comédie une couleur inédite. En 1635, *L'Illusion comique* fait figure de « monstre » dans sa production. Pourtant, à la lumière des recherches formelles qui l'ont précédée, l'étrangeté irréductible de la pièce rappelle dans son audace la conception désinvolte de *Clitandre* : le jeu sur les conventions est poussé maintenant beaucoup plus loin, et ce ne sont plus les ressources et les limites d'un seul genre qui intéressent Corneille, mais la combinaison incongrue de ceux qu'il a pratiqués jusqu'alors :

> Le premier Acte n'est qu'un Prologue, les trois suivants font une Comédie imparfaite, le dernier est une Tragédie, et tout cela cousu ensemble fait une Comédie.

Paradoxalement toutefois, *L'Illusion comique* se démarque des comédies précédentes par un retour à la tradition de la comédie italienne : avec *Mélite*, Corneille s'était vanté de ne pas recourir aux caractères habituels qui faisaient le succès du genre :

> On n'avait jamais vu jusque-là que la Comédie fît rire sans Personnages ridicules, tels que les Valets bouffons, les Parasites, les Capitans, les Docteurs, etc.

La prestation du matamore, ou le rôle de parasite joué par Clindor auprès du capitan à l'acte II, apparaissent comme autant de concessions faites à un répertoire auparavant dédaigné. Aussi la pièce qui témoigne de l'invention formelle la plus sophistiquée est-elle aussi celle qui fait les emprunts les plus voyants au théâtre conventionnel et à ses signes les plus aisément reconnaissables. Admettons pour l'instant ce paradoxe.

Analyse de la pièce

Acte I. « Le premier acte n'est qu'un Prologue... »

Pridamant, à la recherche de son fils Clindor qui a fui l'autorité paternelle dix ans auparavant, et dont il est sans nouvelles, vient en Touraine consulter le magicien Alcandre, sur les conseils de son ami Dorante qui l'accompagne devant la « grotte obscure » où vit le mystérieux personnage (1). Alcandre paraît, et rassure aussitôt Pridamant sur le sort de son fils, en faisant surgir du néant des habits luxueux qui témoignent de la prospérité nouvelle de Clindor. Il exige le départ de Dorante avant d'entrer plus avant dans ses révélations (2). Alcandre raconte les dix années d'errance de Clindor, puis offre à Pridamant de poursuivre le récit sous la forme d'une évocation magique où des « fantômes vains » prendront la place des personnages réels (3).

Acte II. « ... les trois suivants font une comédie imparfaite... »

Avant le début de l'évocation, Alcandre interdit formellement à Pridamant de quitter la grotte, tant que durera la « représentation » (1). Matamore raconte à son serviteur Clindor ses exploits imaginaires et ses conquêtes amoureuses. Il avoue sa passion pour Isabelle qui s'avance, escortée de son soupirant, Adraste, un gentilhomme ombrageux. Matamore s'enfuit (2). Adraste est éconduit par Isabelle ; il se fait fort d'obtenir sa main de Géronte, le père de la jeune fille (3). Matamore revient après le départ d'Adraste et se vante de mille prouesses auprès d'Isabelle pour la séduire (4). Un page, dont c'est le seul emploi, vient porter à Matamore une lettre d'amour de la reine d'Islande. Le brave sort pour répondre à cette sollicitation importune (5). Enfin seuls, Isabelle et Clindor s'avouent leur amour. Comme Adraste reparaît, Isabelle s'éclipse (6). Adraste menace Clindor qu'il soupçonne de courtiser Isabelle (7). Lyse, suivante d'Isabelle, dénonce à Adraste les deux amoureux, et lui promet de l'aider à les surprendre le soir même (8). Restée seule, Lyse laisse éclater son dépit contre Clindor : la vengeance d'Adraste servira la sienne (9). Alcandre rassure Pridamant, inquiet des menaces de Lyse (10).

ACTE III

Isabelle refuse d'épouser Adraste, contre la volonté de son père, qui s'emporte (1). Géronte s'afflige de l'obstination de sa fille (2). Il renvoie durement Matamore venu lui offrir ses services (3). Celui-ci demande à Clindor de répondre à sa place aux menaces du vieillard, craignant l'extrême violence de sa propre réaction (4). Clindor déclare à Lyse qu'il est amoureux d'elle, et qu'il ne courtise Isabelle que par intérêt (5). Malgré l'amour qu'elle éprouve pour lui, Lyse reste déterminée à se venger de Clindor (6). Seul sur scène, Matamore s'effraie du moindre bruit. Il se retire à l'écart, à l'arrivée d'Isabelle et de Clindor (7). Isabelle et Clindor renouvellent leurs serments d'amour. Matamore interrompt leur duo. Isabelle se retire (8). Clindor radoucit très vite Matamore en recourant aux menaces (9). Bon prince, celui-ci renonce solennellement à Isabelle et la cède à Clindor (10). Coup de théâtre : Adraste et Géronte font irruption, à la tête d'une troupe de domestiques armés. Matamore s'enfuit,

Clindor tue Adraste, mais il est arrêté (11). Pridamant s'inquiète de nouveau. Alcandre le rassure (12).

Acte IV

Isabelle, désespérée, veut mourir et revenir hanter son père (1). Lyse apporte la solution du drame : elle a séduit le geôlier qui a la garde de Clindor, arrêté depuis quatre jours, et révèle à Isabelle son plan de fuite (2). Lyse renonce à sa vengeance (3). Isabelle surprend Matamore réfugié dans un grenier depuis le drame. Il disparaît dès qu'Isabelle en vient aux menaces (4). Lyse présente le geôlier à sa maîtresse (5). Le garde dévoile son plan d'évasion et demande Lyse en récompense (6). En prison, Clindor se croit perdu, et redit son amour pour Isabelle (7). Survient le geôlier… (8)… suivi d'Isabelle et de Lyse. Tous quatre s'enfuient (9). Alcandre conclut l'évocation en assurant Pridamant du succès de leur fuite. Il annonce une ellipse de deux ans dans le cours des événements « représentés », pour aboutir à la suite glorieuse des aventures de Clindor. Pour ce faire, il est besoin de nouveaux fantômes (10).

Acte V. « … le dernier [acte] est une Tragédie… »

Pridamant s'émerveille de la splendeur du costume d'Isabelle. Alcandre renouvelle à Pridamant l'interdiction de quitter la grotte (1). Isabelle s'afflige de l'infidélité de son époux Clindor, amant de la princesse Rosine avec laquelle il n'hésite pas à trahir son bienfaiteur, le prince Florilame. Elle veut le surprendre dans le jardin où ils ont rendez-vous (2). Clindor s'approche et croit s'adresser à Rosine. Isabelle le querelle. Clindor défend son droit à l'infidélité conjugale, puis se ravise et déclare renoncer à Rosine qui approche. Isabelle assistera, cachée dans le jardin, à l'entretien (3). Clindor prône à Rosine sa nouvelle doctrine de la fidélité (4). Nouveau coup de théâtre :

Éraste, serviteur de Florilame, surprend le couple. Clindor et Rosine meurent. Isabelle est enlevée (5). Pridamant se désespère. Alcandre révèle alors l'artifice, et lui montre son fils et sa troupe occupés à partager la recette de la représentation à laquelle à son insu Pridamant assistait depuis la seconde scène de l'acte V : Clindor est en effet devenu acteur, et triomphe sur la scène du plus grand théâtre parisien. Finalement convaincu par Alcandre du bien-fondé de ce choix de vie, Pridamant s'apprête à rejoindre son fils (6).

Corneille a beaucoup insisté, dans l'*Examen* de sa pièce, sur l'organisation linéaire de la comédie, faite de morceaux hétéroclites cousus ensemble, comme pour mieux accuser l'étrangeté de ce qu'il définira comme un « monstre » ou un « caprice ». Cependant, l'étude de la structure de la pièce permet d'isoler les trois différents niveaux ou degrés sur lesquels se situe l'action – ou les actions – de *L'Illusion comique*. À chacun correspond un lieu et une époque spécifiques qui le distinguent des deux autres :

• L'entretien d'Alcandre et de Pridamant dans la grotte du magicien en Touraine.

• L'évocation magique des aventures de Clindor à Bordeaux au service de Matamore et ses amours avec Isabelle. Cette unité occupe les actes II, III et IV, et admet elle-même un changement de lieu (la prison de Clindor à l'acte IV) et un intervalle de quatre jours (v. 1079) entre l'arrestation de Clindor et la suite de l'action au début de l'acte IV.

• L'élévation sociale des héros devenus grands seigneurs en Angleterre (en fait, comédiens sur une scène parisienne), après un intermède de deux années marquées d'aventures diverses (v. 1332).

Bien entendu, Corneille ne s'est pas contenté de coudre. Les trois niveaux ne sont pas enchaînés les uns aux autres, mais articulés et enchâssés de façon complexe. Les acteurs du « prologue » reviennent ainsi régulièrement commenter la représentation suscitée par Alcandre (II, 10 ; III, 12 ; IV, 10 ; V, 1). D'autre part, l'illusion de la pièce ne repose qu'en apparence sur la continuité supposée entre les actes II, III et IV, et l'acte V, suivis comme les chapitres d'un roman, alors que le mot de l'énigme consiste à identifier le spectacle des comédiens dans la grotte du magicien, c'est-à-dire un effet de théâtre dans le théâtre.

L'originalité de Corneille ne réside pas dans l'utilisation d'un procédé déjà largement répandu dans la dramaturgie européenne, de Shakespeare à Calderón. En France, deux auteurs de sa génération, Gougenot et Georges de Scudéry [1], l'ont précédé en représentant avec succès des scènes de la vie d'une troupe de comédiens. Intitulées toutes deux *La Comédie des comédiens*, et jouées dans le courant de l'année 1633, elles se bornent à juxtaposer les deux aspects du travail de l'acteur : en guise de hors-d'œuvre, une évocation réaliste et burlesque du métier saisi dans les coulisses ; puis vient la représentation d'une pièce à la mode, qui suit son cours sans heurt, et qui ne présente plus guère de rapport avec la première partie. Les acteurs s'évanouissent derrière leur personnage. S'il emprunte manifestement à Scudéry l'idée d'un parent âgé à la recherche d'un jeune aventurier devenu comédien à son insu, Corneille ne doit rien à ses devanciers pour l'architecture complexe de *L'Illusion comique*. Dans les deux *Comédies*, les registres de la réalité et de l'illusion dramatique ne se mêlent pas : la structure binaire de chaque pièce entérine la distinction. Chez Corneille, la supercherie d'Alcandre repose sur la confusion entretenue à l'acte V entre les deux plans, au prix d'une longue préparation : les trois actes intermédiaires sont indispensables à la réussite du stratagème.

On a mis en évidence les procédés utilisés par Corneille pour créer une confusion entre le rappel des agissements de Clindor au service de Matamore et la représentation théâtrale du cinquième acte. Pour que le piège tendu par Alcandre à Pridamant, ainsi qu'au spectateur, puisse fonctionner, il importe que l'action de la pièce représentée à

1. Voir le dossier de la pièce, page 164.

l'acte V paraisse comme une suite des aventures « réelles » des compagnons de Clindor. Aussi les concordances sont-elles soigneusement marquées. Dans le bref résumé qu'il fait des événements qui ont suivi l'évasion du héros, à la fin de l'acte IV, Alcandre évoque la « haute fortune » des amants ; les grands seigneurs du drame anglais de l'acte V sont mariés, comme devraient l'être Isabelle et Clindor après leur fuite ; la jeune épouse rappelle à son mari volage la différence de rang social qui les séparait, la préférence qu'elle lui a donnée sur les prétendants qui la courtisaient (V, 2), et son exil loin de la maison paternelle pour suivre son amant : autant de détails concordants avec la situation des héros des trois actes précédents. Comme la situation, les caractères des protagonistes sont aisément reconnaissables d'un acte à l'autre : Clindor semble tout aussi inconstant que précédemment, et Isabelle tout aussi déterminée.

Mais si la révélation finale d'Alcandre permet de statuer sur la vraie nature du spectacle des comédiens, elle autorise du même coup le spectateur attentif à douter de la réalité des événements de la vie de Clindor à Bordeaux. Si le jeu des similitudes induisait le spectateur en erreur au cinquième acte, par un raisonnement inverse, le doute peut légitimement s'étendre sur les épisodes intermédiaires, une fois la vérité faite : n'était-ce pas déjà pure mise en scène ?

OÙ EST L'ILLUSION ?

Revient la question de la structure de *L'Illusion comique* : non pas binaire, comme dans *La Comédie des comédiens*, mais ternaire, elle produit certes une gradation d'un niveau à l'autre, mais aussi un flottement. De la réalité au théâtre, il y a place pour un troisième et mystérieux registre. En effet, la réalité des événements de Bordeaux est la moins réaliste qui soit. C'est « une pièce, avoue Corneille, que je ne sais comment nommer ». Soit, mais c'est une pièce, et l'auteur, rappelons-le, choisit justement cette séquence pour y introduire le personnage qui est une sorte d'emblème du théâtre, le matamore : celui-ci prend même une importance inhabituelle, puisque le rôle du fanfaron se limite d'ordinaire à des apparitions épisodiques (cf. l'exemple d'*Agésilan de Colchos* dans notre dossier).

D'autre part, la situation des héros est des plus codées : les amours des jeunes premiers contrariées par un père inflexible qui donne sa préférence à un rival, tel est le canevas courant des comédies italiennes qui gravitent autour du couple de Lelio et d'Isabella. Plus intéressant, le personnage de Lyse traduit pour la première fois de l'italien en français le type de la servante dotée d'un caractère fortement trempé, et donne le ton aux soubrettes de Molière et, plus tard, de Marivaux.

Enfin, Corneille s'ingénie à accumuler les lieux communs et les procédés de la dramaturgie de son temps : le héros tue son rival en duel, est jeté dans un cachot (c'était déjà le cas de Clitandre), puis s'évade, comme dans la plupart des tragi-comédies ; les monologues se multiplient (chacun ou presque a droit au sien), les conversations sont surprises par un tiers en embuscade, comme c'est l'usage à la scène : Matamore épie Clindor et Isabelle (III, 8), Isabelle observe la rencontre de son époux et de Rosine (V, 4)… Il n'y a pas moins de « théâtre » dans les trois actes de l'évocation que dans le cinquième. Les deux séquences sont d'ailleurs bâties sur une trame étrangement semblable, comme si la seconde n'était qu'une variante de la première : un aventurier inconstant s'éprend de deux femmes et précipite ainsi sa perte, par l'intervention mécanique d'un vengeur qui change à peine de nom d'un drame à l'autre, ici Adraste, là Éraste.

La ronde de nuit

L'Illusion comique brille de l'éclat des contraires. Une suite d'événements précipités tient lieu d'une histoire, mais elle est constamment minée par ses invraisemblances. Le bel enchaînement des faits ne résiste pas à la révélation du subterfuge : ce n'était qu'un montage illusionniste.

La vie de Clindor a ainsi pour nous des allures de roman d'apprentissage : un jeune ambitieux s'élève peu à peu et parvient au comble des honneurs. Pourtant, d'un terme à l'autre de sa carrière, les emplois de Clindor sont trompeurs ; faux laquais de Matamore, il ne devient qu'un prince de théâtre. On ne peut qu'échouer à recomposer son histoire réelle où le roman (espagnol) feuilleté par Alcandre (I, 3) rencontre le théâtre et ses différents genres.

Il faut en croire Corneille quand il avoue ne pas savoir nommer la pièce qu'il a écrite : à l'instar des trois actes centraux, dont le « succès… est tragique », mais les personnages « entièrement de la comédie », la pièce entière repose sur des changements imprévus d'un genre à l'autre, d'un type de personnage à un autre. Les identités sont provisoires, comme les noms de Clindor, et les rôles instables. Au cours de son étrange et long monologue du début de l'acte IV, Isabelle forme le vœu de devenir un spectre pour revenir tourmenter son père ; marque d'un emportement singulier, mais aussi curieuse intuition de son être réel, si l'on en croit Alcandre, créateur de ces fantômes. Lyse elle aussi manque à son personnage, de l'aveu même de Corneille, et « en la sixième scène du troisième acte, semble s'élever un peu trop au-dessus du caractère de servante », au point de retrouver passagèrement le ton d'une autre créature cornélienne, Médée, dont elle partage le pouvoir de nouer et de dénouer une intrigue, comme d'ouvrir une prison. L'acte IV, contre toute attente, relève entièrement de son initiative.

Les formes sont aussi incertaines que les êtres. *L'Illusion comique*, à défaut de l'unité de jour si chère aux doctes, prend le parti de la nuit, dans la grotte d'Alcandre, dans le cachot de Clindor, comme à l'heure des rendez-vous des amants (III, 8 ; V, 4). La nuit comme la pièce prête à confusion : Pridamant se laisse berner par l'apparition des costumes que lui présente Alcandre (I, 2), Clindor tarde à reconnaître Isabelle (V, 3), et Matamore, cerné par ses peurs, Clindor (III, 7). Plaisir enfantin du théâtre et des silhouettes indécises projetées en ombres chinoises au fond d'une grotte comme sur un drap tendu dans une chambre.

LE SACRE DE L'ÉCRIVAIN

Le même esprit d'enfance anime les relations apparemment très graves d'Alcandre et de Pridamant. Le plaisir du conte prend vite l'avantage dans l'antre du magicien. Comme tout jeu, celui que propose Alcandre se soumet à des règles strictes : Pridamant ne devra pas sortir de la grotte. La partie commence, et Pridamant s'y laisse absorber avec un manque de recul critique qui a de quoi surprendre. De fait, toute autre considération le cède au désir de savoir la suite du « feuilleton ». Sûr de son affaire, Alcandre/Corneille manipule les données de l'intrigue et fait alterner scènes d'action et de comédie, de tension et de détente avec une régularité remarquable, comme pour vérifier son emprise sur le spectateur.

Si l'histoire a la priorité, on s'explique mieux dès lors le silence complet de Pridamant devant le comportement de son fils. Clindor apparaît sous les traits d'un voleur, parjure et adultère, sans que son père s'en émeuve. Pridamant ne juge pas l'histoire, il en attend anxieusement la suite. L'intérêt de la pièce s'est ainsi considérablement déplacé, reléguant les scrupules moraux encore présents au début pour valoriser la satisfaction du plaisir esthétique éprouvé à l'occasion de la représentation. Sans doute la suspension de toute valeur et de toute norme est-elle propre à l'univers du jeu. Mais en un siècle où la question de la moralité du théâtre revient constamment exercer sa censure, le pari tient du paradoxe. Dans l'évocation d'Alcandre, toutes les autorités sont bafouées : Clindor trompe son maître Matamore, Isabelle désobéit à son père, Lyse procure aux amants le moyen de violer la loi en délivrant Clindor. Matamore incarne doublement cette faillite. Caricature d'une force dépourvue d'effet, il s'expose aux outrages de Clindor, de Géronte et même d'Isabelle qui le fait littéralement disparaître. En même temps, dans la nuit de l'acte IV, la jeune fille rejoue pour Pridamant aux dépens de Géronte la scène initiale de son drame de père : le vol et la fuite de l'enfant prodigue.

Pourtant la démonstration est faite : Pridamant se déclare content du spectacle. Le théâtre serait-il par nature scandaleux ? Sans doute Corneille ne le pense-t-il pas, et ce n'est pas ici la question. *L'Illusion comique* pose avant tout celle des moyens à mettre en œuvre pour captiver le spectateur. Qu'on se rassure, la pièce ne fait pas l'apologie du crime. Mais elle ne prend pas non plus nettement la défense des comédiens. Dans son éloge final, Alcandre met surtout en valeur leur plasticité, et pour ainsi dire, leur indifférence déconcertante au rôle qu'ils interprètent : Clindor en est l'illustration permanente.

C'est le point de vue de l'auteur qui triomphe. À la fin du spectacle, le prestige du mage reste entier ; à la différence de ses interprètes, Corneille y insiste, il ne se fait pas payer : son triomphe lui suffit. D'un bout à l'autre de la pièce, il reste maître du jeu et pousse Pridamant à la faute, et par lui les spectateurs : le père imprudent croit reconnaître Isabelle au début de l'acte V, quand ni le contexte de la scène, ni le texte des répliques n'accusent le changement de registre et de nom. Pourtant, dès le début, le mystère est éventé, mais en vain : les habits d'apparat ne sont que des costumes de scène. La fiction ne court pas grand risque à dévoiler ses mystères : la force du récit, l'ingéniosité du dispositif (la *dispositio* chère aux maîtres de rhétorique) ont raison des hésitations du public.

Tel est finalement le double mouvement de *L'Illusion* : montrer, tout en disant que l'on montre. Double aussi la structure de la pièce : d'une part, le déroulement linéaire et véloce de l'intrigue ; puis, en surimpression permanente, le montage savant et ironique du démiurge, fait de décrochements ludiques, de citations voilées et de retours en arrière. Aussi les personnages vont-ils souvent par deux : Matamore et Clindor, Isabelle et Lyse, Clindor et son geôlier, et bien entendu Pridamant et Alcandre. Le premier rêve ou s'afflige sous le regard et le pouvoir de l'autre. On doit à Corneille le rappel salutaire de cette vérité du théâtre qui coûte si cher au capitan : c'est celui qui se tait et qui sait voir, qui agit. Grotte, chambre ou cachot, le confort de la salle dès lors importe peu.

Jean-Yves HUET.

L'Illusion comique[1]

Comédie

1. À partir de 1660, la pièce sera intitulée *L'Illusion*. Comique s'entend ici, conformément à l'usage du XVIIe siècle, au sens le plus large et désigne tous les genres dramatiques. Équivalent de « théâtral ».

L'ILLUSION

Comédie

à Mademoiselle M. F. D. R.[1]

Mademoiselle,

Voici un étrange monstre que je vous dédie. Le premier acte n'est qu'un prologue, les trois suivants font une comédie imparfaite[2], le dernier est une tragédie, et tout cela cousu ensemble fait une comédie. Qu'on en nomme l'invention bijarre[3] et extravagante tant qu'on voudra, elle est nouvelle[4], et souvent la grâce de la nouveauté parmi nos Français n'est pas un petit degré de bonté. Son succès ne m'a point fait de honte sur le théâtre, et j'ose dire que la représentation de cette pièce capricieuse[5] ne vous a point déplu, puisque vous m'avez commandé de vous en adresser l'épître quand elle irait sous la presse. Je suis au désespoir de vous la présenter en si mauvais

1. On n'a pas encore pu identifier la dédicataire.
2. Imparfaite, parce qu'inachevée selon les règles inspirées d'Aristote qui commençaient à s'imposer en France et qui exigeaient que l'action dramatique fût un tout comprenant un début, un développement et une fin.
3. « Bijarre » ou « Bigearre » selon l'orthographe incertaine du temps. Sur l'évolution de ce mot, voir le vers 1454 et la note.
4. Corneille s'est souvent vanté, à juste titre d'ailleurs, de son statut d'innovateur. C'est ainsi qu'il explique le succès de sa première pièce, *Mélite*, dans l'*Examen* de 1660 : « La nouveauté de ce genre de comédie, dont il n'y a point d'exemple en aucune langue, et le style naïf, qui faisait une peinture de la conversation des honnêtes gens, furent sans doute cause de ce bonheur surprenant, qui fit alors tant de bruit. »
5. Dans l'*Examen*, Corneille dira de même que la pièce est un « caprice », au sens de l'italien *capriccio* : elle ignore les règles en vigueur.

état, qu'elle en est méconnaissable : la quantité de fautes que l'imprimeur a ajoutées aux miennes la déguise, ou pour mieux dire, la change entièrement. C'est l'effet de mon absence de Paris, d'où mes affaires m'ont rappelé sur le point qu'il l'imprimait, et m'ont obligé d'en abandonner les épreuves à sa discrétion. Je vous conjure de ne la lire point que vous n'ayez pris la peine de corriger ce que vous trouverez marqué en suite de cette Épître. Ce n'est pas que j'y aie employé [1] toutes les fautes qui s'y sont coulées : le nombre en est si grand qu'il eût épouvanté le Lecteur, j'ai seulement choisi celles qui peuvent apporter quelque corruption notable au sens, et qu'on ne peut pas deviner aisément. Pour les autres qui ne sont que contre la rime, ou l'orthographe, ou la ponctuation, j'ai cru que le lecteur judicieux y suppléerait sans beaucoup de difficulté, et qu'ainsi il n'était pas besoin d'en charger cette première feuille. Cela m'apprendra à ne hasarder* plus de pièces à l'impression durant mon absence. Ayez assez de bonté pour ne dédaigner pas celle-ci, toute déchirée qu'elle est, et vous m'obligerez d'autant plus à demeurer toute ma vie,

Mademoiselle,
Le plus fidèle et le plus passionné de vos serviteurs,

CORNEILLE

1. Recensé.
* Nous renvoyons le lecteur au lexique pour les mots suivis d'un astérisque.

L'ILLUSION COMIQUE

COMÉDIE

À PARIS

Chez François Targa,
au premier pilier de la grand-Salle du Palais,
devant la Chapelle, au Soleil d'or.

M. DC. XXXIX
AVEC PRIVILÈGE DU ROI

ACTEURS

ALCANDRE, *magicien.*
PRIDAMANT, *père de Clindor.*
DORANTE, *ami de Pridamant.*
MATAMORE, *capitan gascon, amoureux* * *d'Isabelle.*
CLINDOR, *suivant du capitan et amant* * *d'Isabelle.*
ADRASTE, *gentilhomme amoureux* * *d'Isabelle.*
GÉRONTE, *père d'Isabelle.*
ISABELLE, *fille de Géronte.*
LYSE, *servante d'Isabelle.*
GEÔLIER *de Bordeaux.*
PAGE *du capitan.*
ROSINE, *princesse d'Angleterre, femme de Florilame.*
ÉRASTE, *écuyer de Florilame.*
Troupe de domestiques d'Adraste.
Troupe de domestiques de Florilame.

ACTE PREMIER

Scène première

PRIDAMANT, DORANTE

DORANTE

Ce grand Mage dont l'art* commande à la nature
N'a choisi pour palais que cette grotte obscure ;
La nuit qu'il entretient sur cet affreux séjour*,
N'ouvrant son voile épais qu'aux rayons d'un faux jour,
5 De leur éclat douteux n'admet en ces lieux sombres
Que ce qu'en peut souffrir le commerce* des ombres.
N'avancez pas, son art au pied de ce rocher
A mis de quoi punir qui s'en ose approcher,
Et cette large bouche est un mur invisible,
10 Où l'air en sa faveur devient inaccessible,
Et lui fait un rempart dont les funestes* bords
Sur un peu de poussière étalent mille morts.
Jaloux de son repos plus que de sa défense,
Il perd qui l'importune ainsi que qui l'offense.
15 Si bien que ceux qu'amène un curieux désir
Pour consulter Alcandre attendent son loisir [1],
Chaque jour il se montre, et nous touchons à l'heure
Que [2] pour se divertir il sort de sa demeure.

---

1. Variante (1660) :
« Malgré l'empressement d'un curieux désir
Pour consulter Alcandre attendent son loisir. »
Loisir (au sg.) : temps dont on dispose librement.
2. Emploi très large, au XVIIe siècle, du relatif *que*.

PRIDAMANT

J'en attends peu de chose et brûle de le voir,
20 J'ai de l'impatience et je manque d'espoir.
Ce fils, ce cher objet de mes inquiétudes,
Qu'ont éloigné de moi des traitements trop rudes,
Et que depuis dix ans je cherche en tant de lieux
A caché pour jamais sa présence à mes yeux.
25 Sous ombre * qu'il prenait un peu trop de licence
Contre ses libertés je roidis ma puissance [1],
Je croyais le réduire [2] à force de punir,
Et ma sévérité ne fit que le bannir.
Mon âme vit l'erreur dont elle était séduite *,
30 Je l'outrageais présent et je pleurai sa fuite :
Et l'amour paternel me fit bientôt sentir
D'une injuste rigueur un juste repentir.
Il l'a fallu chercher, j'ai vu dans mon voyage
Le Pô, le Rhin, la Meuse, et la Seine, et le Tage,
35 Toujours le même soin * travaille mes esprits,
Et ces longues erreurs [3] ne m'en ont rien appris.
Enfin au désespoir de perdre tant de peine,
Et n'attendant plus rien de la prudence * humaine,
Pour trouver quelque fin à tant de maux soufferts,
40 J'ai déjà sur ce point consulté les Enfers,
J'ai vu les plus fameux en ces noires sciences [4],
Dont vous dites qu'Alcandre a tant d'expérience.
On en faisait l'état [5] que vous faites de lui,
Et pas un * d'eux n'a pu soulager mon ennui *.
45 L'Enfer devient muet quand il me faut répondre.
Ou ne me répond rien qu'afin de me confondre.

---

1. Je m'opposai de toute mon autorité. Roidir et raidir font doublet.
2. Ramener à la raison. « Il est difficile de réduire la jeunesse libertine, de la faire obéir » (Furetière).
3. Errances (latin *errare*). « Erreurs au pluriel se dit quelquefois, pour dire : de longs voyages remplis de traverses : ainsi l'on dit les erreurs d'Ulysse » (Dictionnaire de l'Académie).
4. Sorcellerie, magie noire qui sollicite l'intervention de forces démoniaques. Var. (1660) : « J'ai vu les plus fameux en la haute science ».
5. Estimer.

DORANTE

Ne traitez pas Alcandre en homme du commun,
Ce qu'il sait en son art n'est connu de pas un *.
Je ne vous dirai point qu'il commande au tonnerre,
50 Qu'il fait enfler les mers, qu'il fait trembler la terre,
Que de l'air qu'il mutine [1] en mille tourbillons
Contre ses ennemis il fait des bataillons,
Que de ses mots savants les forces inconnues
Transportent les rochers, font descendre les nues [2],
55 Et briller dans la nuit l'éclat de deux soleils.
Vous n'avez pas besoin de miracles pareils,
Il suffira pour vous qu'il lit [3] dans les pensées,
Et connaît l'avenir et les choses passées,
Rien n'est secret pour lui dans tout cet Univers,
60 Et pour lui nos destins sont des livres ouverts,
Moi-même ainsi que vous je ne pouvais le croire,
Mais sitôt qu'il me vit, il me dit mon histoire,
Et je fus étonné * d'entendre les discours [4]
Des traits [5] les plus cachés de mes jeunes amours.

PRIDAMANT

65 Vous m'en dites beaucoup.

DORANTE

J'en ai vu davantage.

PRIDAMANT

Vous essayez en vain de me donner courage,
Mes soins et mes travaux [6] verront sans aucun fruit
Clore mes tristes jours d'une éternelle nuit.

---

1. Déchaîner.
2. Nuages.
3. La condition posée est bien remplie par Alcandre : d'où le mode indicatif.
4. Récit.
5. Détail.
6. Efforts.

DORANTE

Depuis que j'ai quitté le séjour de Bretagne
70 Pour venir faire ici le noble de campagne,
Et que deux ans d'amour par une heureuse fin
M'ont acquis Silvérie et ce château voisin,
De pas un *, que je sache, il n'a déçu l'attente,
Quiconque le consulte en sort l'âme contente *,
75 Croyez-moi son secours n'est pas à négliger :
D'ailleurs il est ravi quand il peut m'obliger,
Et j'ose me vanter qu'un peu de mes prières
Vous obtiendra de lui des faveurs singulières.

PRIDAMANT

Le sort m'est trop cruel pour devenir si doux.

DORANTE

80 Espérez mieux, il sort, et s'avance vers vous.
Regardez-le marcher : ce visage si grave,
Dont le rare savoir tient la nature esclave,
N'a sauvé toutefois des ravages du temps
Qu'un peu d'os et de nerfs qu'ont décharné cent ans,
85 Son corps malgré son âge a les forces robustes,
Le mouvement facile et les démarches justes,
Des ressorts inconnus agitent le vieillard,
Et font de tous ses pas des miracles de l'art *.

Scène II

ALCANDRE, PRIDAMANT, DORANTE

DORANTE

Grand Démon [1] du savoir de qui les doctes veilles
90 Produisent chaque jour de nouvelles merveilles,
À qui rien n'est secret dans nos intentions,
Et qui vois sans nous voir toutes nos actions,
Si de ton art * divin le pouvoir admirable
Jamais en ma faveur se rendit secourable,

---

1. Créature surnaturelle, indifféremment bienfaisante ou hostile.

95 De ce père affligé soulage les douleurs,
Une vieille amitié prend part en ses malheurs,
Rennes ainsi qu'à moi lui donna la naissance,
Et presque entre ses bras j'ai passé mon enfance,
Là de son fils et moi naquit l'affection,
100 Nous étions pareils d'âge et de condition *…

ALCANDRE

Dorante, c'est assez, je sais ce qui l'amène,
Ce fils est aujourd'hui le sujet de sa peine !
Vieillard, n'est-il pas vrai que son éloignement
Par un juste remords te gêne incessamment [1],
105 Qu'une obstination à te montrer sévère
L'a banni de ta vue, et cause ta misère,
Qu'en vain au repentir de ta sévérité,
Tu cherches en tous lieux ce fils si maltraité ?

PRIDAMANT

Oracle de nos jours qui connais toutes choses,
110 En vain de ma douleur je cacherais les causes,
Tu sais trop quelle fut mon injuste rigueur,
Et vois trop clairement les secrets de mon cœur :
Il est vrai, j'ai failli, mais pour mes injustices
Tant de travaux en vain sont d'assez grands supplices.
115 Donne enfin quelque borne à mes regrets cuisants,
Rends-moi l'unique appui de mes débiles * ans.
Je le tiendrai [2] rendu si j'en sais des nouvelles,
L'amour pour le trouver me fournira des ailes,
Où fait-il sa retraite ? en quels lieux dois-je aller ?
120 Fût-il au bout du monde, on m'y verra voler.

ALCANDRE

Commencez d'espérer, vous saurez par mes charmes *
Ce que le Ciel vengeur refusait à vos larmes,
Vous reverrez ce fils plein de vie et d'honneur *,
De son bannissement il tire son bonheur.

---

1. Sans répit.
2. Je le considérerai comme.

125 C'est peu de vous le dire, en faveur de Dorante
Je veux vous faire voir sa fortune * éclatante.
Les novices de l'art * avecques [1] leurs encens
Et leurs mots inconnus qu'ils feignent tout-puissants,
Leurs herbes, leurs parfums, et leurs cérémonies,
130 Apportent au métier des longueurs infinies,
Qui ne sont après tout qu'un mystère pipeur [2]
Pour les faire valoir et pour vous faire peur,
Ma baguette à la main, j'en ferai davantage,

Il donne un coup de baguette et on tire un rideau derrière lequel sont en parade les plus beaux habits des comédiens.

Jugez de votre fils par un tel équipage [3].
135 Eh bien, celui d'un Prince a-t-il plus de splendeur ?
Et pouvez-vous encor douter de sa grandeur ?

PRIDAMANT

D'un amour paternel vous flattez les tendresses
Mon fils n'est point du rang à porter ces richesses,
Et sa condition * ne saurait endurer
140 Qu'avecque tant de pompe [4] il ose se parer [5].

ALCANDRE

Sous un meilleur destin sa fortune * rangée

---

1. Var. (1660) : « Les novices de l'art avec tous leurs encens ».
Dans ses *Remarques sur la langue française* publiées en 1647, Vaugelas recommande d'employer *avec* devant voyelle, et *avecque* devant certaines consonnes seulement. Plus tard, la forme dissyllabique se généralise, et dans l'édition de 1660, Corneille corrige *avecque*, désormais senti comme un archaïsme.
2. Trompeur.
3. Costume. « On dit être en bon ou mauvais équipage, pour dire être mal vêtu » (Dictionnaire de l'Académie).
4. Éclat, magnificence.
5. Var. (1660) :
« Et sa condition ne saurait consentir
Que d'une telle pompe il s'ose revêtir. »
(Voir la note du v. 127.)

Et sa condition* avec le temps changée[1],
Personne maintenant n'a de quoi murmurer
Qu'en public[2] de la sorte il ose se parer.

PRIDAMANT

45 À cet espoir si doux j'abandonne mon âme,
Mais parmi ces habits je vois ceux d'une femme :
Serait-il marié ?

ALCANDRE

Je vais de ses amours
Et de tous ses hasards* vous faire le discours[3].
Toutefois si votre âme était assez hardie,
50 Sous une illusion[4] vous pourriez voir sa vie,
Et tous ses accidents* devant vous exprimés
Par des spectres pareils à des corps animés,
Il ne leur manquera ni geste, ni parole.

PRIDAMANT

Ne me soupçonnez point d'une crainte frivole :
55 Le portrait de celui que je cherche en tous lieux
Pourrait-il par sa vue épouvanter mes yeux ?

ALCANDRE, *à Dorante.*

Mon Cavalier[5], de grâce, il faut faire retraite,
Et souffrir qu'entre nous l'histoire en soit secrète.

PRIDAMANT

Pour un si bon ami je n'ai point de secrets.

DORANTE

60 Il vous faut sans réplique accepter ses arrêts.
Je vous attends chez moi.

---

1. Emploi absolu du participe : latinisme fréquent chez Corneille.
2. Alcandre joue ici sur le double sens du mot : en public signifie à la fois 1) ouvertement et 2) devant un public de théâtre.
3. Cf. v. 63 et la note.
4. « Fausse apparence, artifice pour faire paraître ce qui n'est pas, ou autrement qu'il n'est en effet » (Furetière).
5. Homme d'épée ; puis gentilhomme.

ALCANDRE

Ce soir, si bon lui semble,
Il vous apprendra tout quand vous serez ensemble.

Scène III

ALCANDRE, PRIDAMANT

ALCANDRE

Votre fils tout d'un coup ne fut pas grand seigneur,
Toutes ses actions ne vous font pas honneur *,
165 Et je serais marri [1] d'exposer sa misère
En spectacle à des yeux autres que ceux d'un père.
Il vous prit quelque argent, mais ce petit butin
À peine lui dura du soir jusqu'au matin.
Et pour gagner Paris il vendit par la plaine
170 Des brevets [2] à chasser la fièvre et la migraine,
Dit la bonne aventure, et s'y rendit ainsi.
Là, comme on vit d'esprit, il en vécut aussi ;
Dedans Saint-Innocent [3] il se fit secrétaire,
Après, montant d'état, il fut clerc d'un notaire ;
175 Ennuyé de la plume, il la quitta soudain,
Et dans l'Académie [4] il joua de la main [5].

---

1. Désolé.
2. « Se dit aussi de certains billets, caractères ou oraisons que donnent des charlatans et des affronteurs pour guérir de plusieurs maladies, ou pour faire des choses extraordinaires » (Furetière).
3. Ou plus exactement dans les galeries du cloître, où se rassemblaient les écrivains publics (ou *secrétaires*).
4. « Se dit abusivement du berlan, ou des lieux publics où l'on reçoit toutes sortes de personnes à jouer aux dés et aux cartes, ou à d'autres jeux défendus. Les juges de police sont obligés de veiller à ce qu'on ne tienne point des académies de jeu. » (Furetière) Dès 1644, Corneille préfère attribuer à Clindor une activité moins compromettante. Le v. 176 devient alors : « Et fit danser un singe au faubourg Saint-Germain ». La foire de Saint-Germain, qui se tenait sur l'emplacement actuellement occupé par le marché du même nom, attirait un public nombreux. Toutes sortes de bateleurs s'y produisaient.
5. « On dit d'un homme qui est sujet à dérober qu'il est dangereux de la main, qu'il n'est pas sûr de la main » (Dictionnaire de l'Académie). Furetière donne l'expression *jouer de la griffe.*

Il se mit sur la rime, et l'essai de sa veine
Enrichit les chanteurs de la Samaritaine[1] :
Son style prit après de plus beaux ornements,
80 Il se hasarda * même à faire des romans,
Des chansons pour Gautier, des pointes[2] pour Guillaume[3] ;
Depuis il trafiqua[4] de chapelets de baume[5],
Vendit du mithridate[6] en maître opérateur,
Revint dans le Palais et fut solliciteur[7] ;
85 Enfin jamais Buscon, Lazarille de Tormes
Sayavèdre et Gusman[8] ne prirent tant de formes :
C'était là pour Dorante un honnête entretien !

PRIDAMANT

Que je vous suis tenu[9] de ce qu'il n'en sait rien !

ALCANDRE

Sans vous faire rien voir, je vous en fais un conte

---

1. La pompe de la Samaritaine, installée par Henri IV sous une arche du Pont-Neuf nouvellement construit, était agrémentée dans sa partie supérieure d'une fontaine. Celle-ci était ornée d'un groupe de bronze représentant Jésus et la Samaritaine. C'était un lieu de promenade à la mode où se retrouvaient les artistes de foire, et où l'on venait entendre couplets et chansons satiriques ou galantes.
2. Plaisanterie, jeu de mots.
3. Gautier et Guillaume désignent les premiers venus, dans la langue du début du XVIIe siècle. Mais il y a sans doute ici une allusion aux deux grands acteurs burlesques de l'Hôtel de Bourgogne, Gaultier-Garguille et Gros-Guillaume.
4. Vendre.
5. Le baume est une plante médicinale aux vertus extraordinaires : le mot désigne par extension une panacée miraculeuse.
6. « Espèce de thériaque ou antidote… qui sert de remède ou de préservatif contre les poisons » (Furetière).
7. Subalterne chargé d'aller presser les avocats et les procureurs de hâter l'instruction d'une affaire.
8. Héros célèbres et peu scrupuleux de romans picaresques espagnols. Le plus ancien, *Lazarillo de Tormes*, est une œuvre anonyme de la première moitié du XVIe siècle. *Guzmán de Alfarache*, de Mateo Alemán, où apparaît également Sayavèdre, date de 1599. *El Buscón* de Quevedo est le plus récent (1626). Tous trois avaient été traduits ou retraduits récemment en français.
9. Reconnaissant.

190 Dont le peu de longueur épargne votre honte :
Las de tant de métiers sans honneur* et sans fruit,
Quelque meilleur destin à Bordeaux l'a conduit,
Et là comme il pensait au choix d'un exercice*,
Un brave du pays l'a pris à son service.
195 Ce guerrier amoureux en a fait son agent[1],
Cette commission[2] l'a remeublé d'argent[3],
Il sait avec adresse, en portant les paroles,
De la vaillante dupe attraper les pistoles,
Même de son agent il s'est fait son rival,
200 Et la beauté qu'il sert* ne lui veut point de mal.
Lorsque de ses amours vous aurez vu l'histoire,
Je vous le veux montrer plein d'éclat et de gloire,
Et la même action[4] qu'il pratique aujourd'hui.

PRIDAMANT

Que déjà cet espoir soulage mon ennui* !

ALCANDRE

205 Il a caché son nom en battant la campagne,
Et s'est fait, de Clindor, le sieur de la Montagne ;
C'est ainsi que tantôt[5] vous l'entendrez nommer.
Voyez tout sans rien dire, et sans vous alarmer*.
Je tarde un peu beaucoup pour votre impatience,
210 N'en concevez pourtant aucune défiance :
C'est qu'un charme* ordinaire a trop peu de pouvoir
Sur les spectres parlants qu'il faut vous faire voir.
Entrons dedans ma grotte afin que j'y prépare
Quelques charmes* nouveaux pour un effet si rare.

---

1. Tout personnage chargé d'une fonction ou d'une mission à caractère public ou privé.
2. Emploi de confiance.
3. Renflouer.
4. L'action elle-même. La langue du XVIIe siècle ne distingue pas les deux emplois. Action : activité.
5. Bientôt.

ACTE II

Scène première

ALCANDRE, PRIDAMANT

ALCANDRE

215 Quoi qui s'offre à vos yeux n'en ayez point d'effroi.
De ma grotte surtout ne sortez qu'après moi.
Sinon, vous êtes mort. Voyez déjà paraître,
Sous deux fantômes vains [1], votre fils et son maître.

PRIDAMANT

Ô Dieux ! je sens mon âme après lui s'envoler.

ALCANDRE

220 Faites-lui du silence et l'écoutez parler.

Scène II

MATAMORE, CLINDOR

CLINDOR

Quoi ! Monsieur, vous rêvez ! et cette âme hautaine
Après tant de beaux faits semble être encore en peine !
N'êtes-vous point lassé d'abattre des guerriers,
Soupirez-vous après quelques nouveaux lauriers ?

MATAMORE

225 Il est vrai que je rêve, et ne saurais résoudre

---

1. Qui n'est qu'apparent.

Lequel je dois des deux le premier mettre en poudre,
Du grand Sophi[1] de Perse, ou bien du grand Mogor[2].

CLINDOR

Et de grâce, Monsieur, laissez-les vivre encor !
Qu'ajouterait leur perte à votre renommée ?
230 Et puis quand auriez-vous rassemblé votre armée ?

MATAMORE

Mon armée ! ah poltron ! ah traître ! pour leur mort
Tu crois donc que ce bras ne soit[3] pas assez fort !
Le seul bruit de mon nom renverse les murailles,
Défait les escadrons et gagne les batailles[4],
235 Mon courage invaincu contre les empereurs
N'arme que la moitié de ses moindres fureurs ;
D'un seul commandement que je fais aux trois Parques[5],
Je dépeuple l'État des plus heureux monarques ;
Le foudre[6] est mon canon, les destins mes soldats ;
240 Je couche d'un revers mille ennemis à bas ;
D'un souffle je réduis leurs projets en fumée,
Et tu m'oses parler cependant d'une armée !
Tu n'auras plus l'honneur * de voir un second Mars,
Je vais t'assassiner d'un seul de mes regards,

1. Ancien nom du chah de Perse.
2. Déformation de Mogol (Moghol). Les grands Moghols, lointains héritiers de Gengis Khan, régnaient sur le nord de l'Inde. Leur empire était alors à son apogée.
3. Dans la langue du XVIIe siècle, après un verbe d'opinion, le doute s'exprime régulièrement par l'emploi du subjonctif. L'usage moderne le réserve pour les tournures interrogatives et négatives.
4. En 1672, Boileau reprendra ces deux vers dans un contexte tout autre, l'*Épître IV* « au Roi » :
« Condé, dont le seul nom fait tomber les murailles,
Force les escadrons et gagne les batailles. »
5. Ces divinités grecques symbolisaient la destinée humaine. Elles filaient sur leurs fuseaux l'existence de chaque mortel : le fil coupé signifiait la mort.
6. Le foudre est l'emblème de la puissance royale, traditionnellement attribué à Jupiter. Le genre du mot est encore incertain dans la première moitié du XVIIe siècle.

45 Veillaque[1]. Toutefois, je songe à ma maîtresse*,
Le penser[2] m'adoucit ; va, ma colère cesse,
Et ce petit archer[3] qui dompte tous les Dieux
Vient de chasser la mort qui logeait dans mes yeux.
Regarde, j'ai quitté cette effroyable mine
50 Qui massacre, détruit, brise, brûle, extermine,
Et, pensant au bel œil qui tient ma liberté,
Je ne suis plus qu'amour, que grâce, que beauté.

CLINDOR

Ô Dieux ! en un moment que tout vous est possible !
Je vous vois aussi beau que vous êtes terrible,
55 Et ne crois point d'objet* si ferme en sa rigueur
Qui puisse constamment[4] vous refuser son cœur.

MATAMORE

Je te le dis encor, ne sois plus en alarme* :
Quand je veux j'épouvante, et quand je veux je charme*,
Et, selon qu'il me plaît, je remplis tour à tour
60 Les hommes de terreur, et les femmes d'amour.
Du temps que ma beauté m'était inséparable,
Leurs persécutions me rendaient misérable :
Je ne pouvais sortir sans les faire pâmer ;
Mille mouraient par jour à force de m'aimer ;
65 J'avais des rendez-vous de toutes les princesses ;
Les reines à l'envi mendiaient mes caresses ;
Celle d'Éthiopie, et celle du Japon
Dans leurs soupirs d'amour ne mêlaient que mon nom ;
De passion pour moi deux sultanes troublèrent[5],

---

1. Injure tirée de l'espagnol *vellaco* : « Homme sans foi, sans honneur » (Littré).
2. Emploi fréquent au XVIIe siècle, particulièrement dans la langue précieuse, de l'infinitif substantivé.
3. L'Amour, fils de Vénus, était représenté comme un enfant qui perçait les cœurs de ses flèches.
4. Avec constance.
5. Se troublèrent. « On dit aussi qu'un homme est troublé pour dire honnêtement qu'il est fou » (Furetière). L'emploi absolu du verbe *troubler* est très peu attesté.

270 Deux autres pour me voir du sérail s'échappèrent,
J'en fus mal quelque temps avec le grand Seigneur [1] !

CLINDOR

Son mécontentement n'allait [2] qu'à votre honneur *.

MATAMORE

Ces pratiques nuisaient à mes desseins de guerre,
Et pouvaient m'empêcher de conquérir la terre.
275 D'ailleurs, j'en devins las, et, pour les arrêter,
J'envoyai le Destin dire à son Jupiter [3]
Qu'il trouvât un moyen qui fît cesser les flammes *
Et l'importunité dont m'accablaient les Dames ;
Qu'autrement, ma colère irait dedans [4] les Cieux
280 Le dégrader [5] soudain de l'empire des Dieux,
Et donnerait à Mars à gouverner son foudre [6].
La frayeur qu'il en eut le fit bientôt résoudre [7] :
Ce que je demandais fut prêt en un moment,
Et depuis je suis beau quand je veux seulement.

CLINDOR

285 Que j'aurais sans cela de poulets [8] à vous rendre !

MATAMORE

De quelle que ce soit, garde-toi bien d'en prendre,
Sinon de… Tu m'entends. Que dit-elle de moi ?

---

1. Le Grand Turc.
2. Ne tournait.
3. Rime normande.
4. Préposition. La distinction entre les adverbes dedans, dessous, dessus et les prépositions correspondantes s'impose après Vaugelas et devient la norme.
5. Faire descendre (*gradus* en latin, degré d'un escalier).
6. Cf. v. 239 et la note.
7. Employé ici absolument, se décider.
Cf. *Médée* : « Eux seuls m'ont fait résoudre, et la paix s'est conclue » (v. 141).
8. « Petit billet amoureux qu'on envoie aux dames galantes, ainsi nommé parce qu'en le pliant on y faisait deux pointes qui représentaient les ailes d'un poulet » (Furetière).

CLINDOR

Que vous êtes des cœurs et le charme * et l'effroi,
Et que, si quelque effet [1] peut suivre vos promesses,
90 Son sort est plus heureux que celui des Déesses.

MATAMORE

Écoute : en ce temps-là dont tantôt je parlois,
Les Déesses aussi se rangeaient sous mes lois,
Et je te veux conter une étrange aventure
Qui jeta du désordre * en toute la nature,
95 Mais désordre * aussi grand qu'on en voie arriver [2].
Le Soleil fut un jour sans se pouvoir lever,
Et ce visible Dieu que tant de monde adore
Pour marcher devant lui ne trouvait point d'Aurore ;
On la cherchait partout, au lit du vieux Tithon,
100 Dans les bois de Céphale, au palais de Memnon [3],
Et, faute de trouver cette belle fourrière [4],
Le jour jusqu'à midi se passait sans lumière.

CLINDOR

Où se pouvait cacher la Reine des Clartés ?

MATAMORE

Parbieu, je la tenais encore à mes côtés !
105 Aucun n'osa jamais la chercher dans ma chambre,
Et le dernier de juin fut un jour de décembre ;
Car enfin, supplié par le Dieu du Sommeil,
Je la rendis au monde, et l'on vit le Soleil [5].

---

1. Résultat.
2. Aussi grand qu'on puisse en voir arriver.
3. Selon la légende, Aurore était l'épouse de Tithon, la mère de Memnon, qui régnait sur l'Éthiopie, et était amoureuse de Céphale, fils de Mercure.
4. Les fourriers sont des officiers chargés de préparer le logement de la Cour quand elle se déplace. L'aurore remplit la même fonction d'éclaireur, si l'on peut dire, auprès du soleil.
5. Var. (1660) :

« Ou pouvait être alors la Reine des Clartés ?
– Au milieu de ma chambre, à m'offrir ses beautés.
Elle y perdit son temps, elle y perdit ses larmes ;
Mon cœur fut insensible à ses plus puissants charmes

CLINDOR

Cet étrange accident * me revient en mémoire ;
310 J'étais lors en Mexique, où j'en appris l'histoire,
Et j'entendis conter que la Perse en courroux
De l'affront de son Dieu [1] murmurait contre vous.

MATAMORE

J'en ouïs quelque chose, et je l'eusse punie ;
Mais j'étais engagé dans la Transylvanie,
315 Où ses ambassadeurs qui vinrent l'excuser
À force de présents me surent apaiser.

CLINDOR

Que la clémence est belle en un si grand courage [2] !

MATAMORE

Contemple, mon ami, contemple ce visage :
Tu vois un abrégé de toutes les vertus *.
320 D'un monde d'ennemis sous mes pieds abattus,
Dont la race est périe et la terre déserte [3],
Pas un * qu'à son orgueil n'a jamais dû sa perte [4].
Tous ceux qui font hommage à mes perfections
Conservent leurs États par leurs submissions [5] ;
325 En Europe, où les rois sont d'une humeur civile,
Je ne leur rase point de château ni de ville ;
Je les souffre [6] régner ; mais chez les Africains,
Partout où j'ai trouvé des rois un peu trop vains,
J'ai détruit les pays avecque les monarques [7],

Et tout ce qu'elle obtint pour son frivole amour
Fut un ordre précis d'aller rendre le jour. »

1. De l'affront fait à son Dieu. Mithra était, en Perse, le dieu du soleil.
2. Synonyme fréquent de *cœur*. Désigne aussi souvent l'homme de cœur.
3. Désertée.
4. Nul n'a jamais dû sa perte qu'à son orgueil.
5. Soumission (forme latine et savante).
6. Même sens et même construction que *laisser*.
7. Var. (1660) : « J'ai détruit les pays pour punir leurs monarques. » (Voir le v. 127 et la note.)

30 Et leurs vastes déserts en sont de bonnes marques :
Ces grands sables qu'à peine[1] on passe[2] sans horreur
Sont d'assez beaux effets de ma juste fureur.

CLINDOR

Revenons à l'amour, voici votre maîtresse*.

MATAMORE

Ce diable de rival l'accompagne sans cesse.

CLINDOR

35 Où vous retirez-vous ?

MATAMORE

Ce fat n'est pas vaillant,
Mais il a quelque humeur qui le rend insolent ;
Peut-être qu'orgueilleux d'être avec cette belle,
Il serait assez vain pour me faire querelle.

CLINDOR

Ce serait bien courir lui-même à son malheur.

MATAMORE

40 Lorsque j'ai ma beauté, je n'ai point ma valeur.

CLINDOR

Cessez d'être charmant et faites-vous terrible.

MATAMORE

Mais tu n'en prévois pas l'accident* infaillible :
Je ne saurais me faire effroyable à demi,
Je tuerais ma maîtresse* avec mon ennemi.
45 Attendons en ce coin l'heure qui les sépare.

CLINDOR

Comme votre valeur, votre prudence est rare.

---

1. Avec peine.
2. Traverser.

Scène III

ADRASTE, ISABELLE

ADRASTE

Hélas ! s'il est ainsi, quel malheur est le mien !
Je soupire, j'endure, et je n'avance rien,
Et malgré les transports [1] de mon amour extrême,
350 Vous ne voulez pas croire encor que je vous aime.

ISABELLE

Je ne sais pas, Monsieur, de quoi vous me blâmez.
Je me connais aimable et crois que vous m'aimez :
Dans vos soupirs ardents j'en vois trop d'apparence,
Et quand bien [2] de leur part j'aurais moins d'assurance,
355 Pour peu qu'un honnête [3] homme ait vers [4] moi de crédit,
Je lui fais la faveur de croire ce qu'il dit.
Rendez-moi la pareille, et puisque à votre flamme *
Je ne déguise rien de ce que j'ai dans l'âme,
Faites-moi la faveur de croire sur ce point
360 Que, bien que vous m'aimez [5], je ne vous aime point.

ADRASTE

Cruelle, est-ce là donc ce que vos injustices
Ont réservé de prix à de si longs services * ?
Et mon fidèle amour est-il si criminel
Qu'il doive être puni d'un mépris éternel ?

---

1. Mouvements passionnés.
2. Quand bien même.
3. L'honnêteté s'entend, au XVIIe siècle, en un sens beaucoup plus large que dans l'usage moderne qui le restreint à la notion de *probité*. L'honnête homme définit l'idéal de la société classique, et se distingue par des qualités intellectuelles, morales, mais aussi mondaines, sur le mode du savoir-vivre aristocratique.
4. Auprès de. Cf. *Héraclius* : « Ne soyez pas vers moi fidèles à demi » (III. 4).
5. Corneille corrige ce vers à partir de l'édition de 1644. Vaugelas admettait encore dans ses *Remarques* l'emploi du subjonctif ou de l'indicatif après bien que, selon qu'on voulait exprimer le doute ou la certitude.

ISABELLE

65 Nous donnons bien souvent de divers noms aux choses :
Des épines pour moi, vous les nommez des roses ;
Ce que vous appelez service *, affection,
Je l'appelle supplice et persécution.
Chacun dans sa croyance [1] également s'obstine :
70 Vous pensez m'obliger d'un feu * qui m'assassine,
Et la même action, à votre sentiment,
Mérite récompense, au mien un châtiment.

ADRASTE

Donner un châtiment à des flammes * si saintes [2],
Dont j'ai reçu du Ciel les premières atteintes !
75 Oui, le Ciel au moment qu'il me fit respirer
Ne me donna du cœur que pour vous adorer ;
Mon âme prit naissance avecque votre idée [3] ;
Avant que de vous voir [4] vous l'avez possédée,
Et les premiers regards dont m'aient frappé vos yeux
80 N'ont fait qu'exécuter l'ordonnance des Cieux,
Que vous saisir [5] d'un bien qu'ils avaient fait tout vôtre [6].

ISABELLE

Le Ciel m'eût fait plaisir d'en enrichir un autre.
Il vous fit pour m'aimer, et moi pour vous haïr :
Gardons-nous bien tous deux de lui désobéir.

---

1. Opinion.
2. Var. (1660) :
« Et ce que vous jugez digne du plus haut prix
Ne mérite, à mon gré, que haine et que mépris.
– N'avoir que du mépris pour des flammes si saintes… »
3. Var. (1660) : « Mon âme vint au jour pleine de votre idée. » (Voir le v. 127 et la note.)
4. L'usage ancien autorise la construction avec l'infinitif en pareil cas. alors que le sujet de la subordonnée (Adraste) n'est pas le même que celui du verbe *posséder*. La syntaxe moderne exigerait un mode personnel.
5. Sens juridique, confisquer les biens d'un débiteur.
6. Var. (1660) :
« Et quand je me rendis à des regards si doux.
Je ne vous donnai rien qui ne fût tout à vous,
Rien que l'ordre du ciel n'eût déjà fait tout vôtre. »

385 Après tout, vous avez bonne part à sa haine,
Ou de quelque grand crime il vous donne la peine [1],
Car je ne pense pas qu'il soit supplice égal
D'être forcé d'aimer qui vous traite si mal.

ADRASTE

Puisque ainsi vous jugez que ma peine est si dure,
390 Prenez quelque pitié des tourments que j'endure [2].

ISABELLE

Certes, j'en ai beaucoup, et vous plains d'autant plus
Que je vois ces tourments passer pour superflus,
Et n'avoir pour tout fruit d'une longue souffrance
Que l'incommode honneur * d'une triste constance.

ADRASTE

395 Un père l'autorise, et mon feu * maltraité
Enfin aura recours à son autorité.

ISABELLE

Ce n'est pas le moyen de trouver votre compte,
Et d'un si beau dessein vous n'aurez que la honte.

ADRASTE

J'espère voir pourtant avant la fin du jour
400 Ce que peut son vouloir au défaut de l'amour.

ISABELLE

Et moi, j'espère voir, avant que le jour passe,
Un amant * accablé de nouvelle disgrâce [3].

---

1. Punition.
2. Var. (1660) :
   « Vous avez, après tout, bonne part à sa haine,
   Ou d'un crime secret il vous livre à la peine.
   Car je ne pense pas qu'il soit tourment égal
   Au supplice d'aimer qui vous traite si mal.
   La grandeur de mes maux vous étant si connue,
   Me refuserez-vous la pitié qui m'est due ? »
3. Échec, malheur.

ADRASTE

Eh quoi ! cette rigueur ne cessera jamais ?

ISABELLE

Allez trouver mon père, et me laissez en paix.

ADRASTE

Votre âme, au repentir de sa froideur passée,
Ne la veut point quitter sans être un peu forcée.
J'y vais tout de ce pas, mais avec des serments
Que c'est pour obéir à vos commandements.

ISABELLE

Allez continuer une vaine poursuite.

Scène IV

MATAMORE, ISABELLE, CLINDOR, PAGE

MATAMORE

Eh bien, dès qu'il m'a vu, comme [1] a-t-il pris la fuite !
M'a-t-il bien su quitter [2] la place au même instant !

ISABELLE

Ce n'est pas honte à lui, les rois en font autant,
Au moins si ce grand bruit qui court de vos merveilles
N'a trompé mon esprit en frappant mes oreilles.

MATAMORE

Vous le pouvez bien croire et, pour le témoigner,
Choisissez en quels lieux il vous plaît de régner :
Ce bras tout aussitôt vous conquête [3] un empire.
J'en jure par lui-même, et cela, c'est tout dire.

---

1. Comment.
2. Même sens et même construction que *céder.*
3. Conquérir. Cette forme vieillie est ici choisie pour servir l'allitération burlesque qui ridiculise le caquet du conquérant.

ISABELLE

Ne prodiguez pas tant ce bras toujours vainqueur :
420 Je ne veux point régner que dessus votre cœur ;
Toute l'ambition que me donne ma flamme*,
C'est d'avoir pour sujets les désirs de votre âme.

MATAMORE

Ils vous sont tous acquis, et, pour vous faire voir
Que vous avez sur eux un absolu pouvoir,
425 Je n'écouterai plus cette humeur de conquête,
Et, laissant tous les rois leurs couronnes en tête,
J'en prendrai seulement deux ou trois pour valets,
Qui viendront à genoux vous rendre mes poulets[1].

ISABELLE

L'éclat de tels suivants attirerait l'envie
430 Sur le rare bonheur où je coule ma vie.
Le commerce* discret de nos affections
N'a besoin que de lui pour ces commissions.

Elle montre Clindor.

MATAMORE

Vous avez, Dieu me sauve, un esprit à ma mode :
Vous trouvez comme moi la grandeur incommode.
435 Les sceptres les plus beaux n'ont rien pour moi d'exquis,
Je les rends aussitôt que je les ai conquis,
Et me suis vu charmer* quantité de princesses
Sans que jamais mon cœur acceptât ces maîtresses*.

ISABELLE

Certes en ce point seul je manque un peu de foi*.
440 Que vous ayez quitté des princesses pour moi !
Qu'elles n'aient pu blesser un cœur dont je dispose !

MATAMORE

Je crois que la Montagne en saura quelque chose.

---

1. Voir la note du v. 285.

Viens çà : lorsqu'en la Chine, en ce fameux tournoi,
Je donnai dans la vue aux deux filles du roi,
Sus-tu rien de leur flamme* et de la jalousie [1]
Dont pour moi toutes deux avaient l'âme saisie ?

CLINDOR

Par vos mépris enfin l'une et l'autre mourut.
J'étais lors en Égypte, où le bruit en courut [2],
Et ce fut en ce temps que la peur de vos armes
Fit nager le grand Caire en un fleuve de larmes :
Vous veniez d'assommer dix Géants en un jour,
Vous aviez désolé les pays d'alentour,
Rasé quinze châteaux, aplani deux montagnes,
Fait passer par le feu villes, bourgs et campagnes,
Et défait vers Damas cent mille combattants.

MATAMORE

Que tu remarques bien et les lieux et les temps !
Je l'avais oublié.

ISABELLE

Des faits si pleins de gloire
Vous peuvent-ils ainsi sortir de la mémoire ?

MATAMORE

Trop pleine des lauriers remportés sur les rois,
Je ne la charge point de ces menus exploits.

PAGE

Monsieur…

MATAMORE

Que veux-tu, page ?

---

1. Var. (1660) : « Que te dit-on en cour de cette jalousie ? »
2. Cf. v. 310 : « J'étais lors en Mexique, où j'en appris l'histoire ». Clindor joue mécaniquement son rôle de faire-valoir.

PAGE

Un courrier vous demande.

MATAMORE

D'où vient-il ?

PAGE

De la part de la reine d'Islande.

MATAMORE

Ciel qui sais comme quoi j'en suis persécuté,
Un peu plus de repos avec moins de beauté !
465 Fais qu'un si long mépris enfin la désabuse[1] !

CLINDOR, *à Isabelle.*

Voyez ce que pour vous ce grand guerrier refuse.

ISABELLE

Je n'en puis plus douter.

CLINDOR

Il vous le disait bien.

MATAMORE

Elle m'a beau prier, non, je n'en ferai rien !
Et quoi qu'un fol espoir ose encor lui promettre,
470 Je lui vais envoyer sa mort dans une lettre.
Trouvez-le bon, ma reine, et souffrez cependant
Une heure d'entretien de ce cher confident,
Qui, comme de ma vie il sait toute l'histoire,
Vous fera voir sur qui vous avez la victoire.

1. Tirer quelqu'un de ses illusions.

ISABELLE

5 Tardez encore moins, et, par ce prompt retour,
Je jugerai quelle est envers moi votre amour[1].

Scène V

CLINDOR, ISABELLE

CLINDOR

Jugez plutôt par là l'humeur du personnage :
Ce page n'est chez lui que pour ce badinage[2],
Et venir d'heure en heure avertir Sa Grandeur
0 D'un courrier, d'un agent[3], ou d'un ambassadeur.

ISABELLE

Ce message me plaît bien plus qu'il ne lui semble :
Il me défait d'un fou pour nous laisser ensemble.

CLINDOR

Ce discours favorable enhardira mes feux *
À bien user d'un temps si propice à mes vœux.

ISABELLE

5 Que m'allez-vous conter ?

CLINDOR

Que j'adore Isabelle ;
Que je n'ai plus de cœur ni d'âme que pour elle ;
Que ma vie…

ISABELLE

Épargnez ces propos superflus.

---

1. Selon Vaugelas, *amour* est du masculin quand il désigne le dieu Cupidon, et indifféremment du masculin ou du féminin dans les autres cas. Le masculin ne s'imposera qu'à la fin du siècle. Toutefois, la langue conservera une distinction du genre selon le nombre : amour au masculin, amours au féminin.
2. « Jeu d'enfants » (Furetière).
3. Voir le v. 195 et la note.

Je les sais, je les crois : que voulez-vous de plus ?
Je néglige à vos yeux l'offre d'un diadème,
490 Je dédaigne un rival, en un mot je vous aime.
C'est aux commencements des faibles passions
À s'amuser [1] encore aux protestations [2] !
Il suffit de nous voir, au point où sont les nôtres ;
Un clin d'œil vaut pour vous tout le discours des autres.

CLINDOR

495 Dieux ! qui l'eût jamais cru, que mon sort rigoureux
Se rendît si facile à mon cœur amoureux !
Banni [3] de mon pays par la rigueur d'un père,
Sans support [4], sans amis, accablé de misère,
Et réduit à flatter le caprice arrogant
500 Et les vaines humeurs [5] d'un maître extravagant,
En ce piteux [6] état ma fortune* si basse
Trouve encor quelque part en votre bonne grâce,
Et d'un rival puissant les biens et la grandeur
Obtiennent moins sur vous que ma sincère ardeur !

ISABELLE

505 C'est comme il faut choisir, et l'amour véritable
S'attache seulement à ce qu'il voit d'aimable ;
Qui regarde les biens, ou la condition*,

---

1. S'attarder.
2. Déclaration insistante.
3. Du point de vue de la syntaxe, *banni* est lui aussi sans support. Il se rapporte très librement à la première personne exprimée dans l'adjectif possessif, *ma*. Cette souplesse caractérise l'ancienne langue.
4. Soutien.
5. Terme médical. Selon une théorie ancienne, le caractère de chaque individu dépendait du mélange et de la proportion de quatre substances liquides (*humor* en latin) qui innervent le corps, le sang, le flegme, la bile et l'atrabile (bile noire : en grec, mélancolie). À partir de la combinaison de ces quatre humeurs, on pouvait établir une typologie des comportements. L'Alceste du *Misanthrope* est ainsi un cas « clinique » de mélancolique.
6. Pitoyable. Var. (1660) :
« Ce pitoyable état de ma triste fortune
N'a rien qui vous déplaise ou qui vous importune. »

N'a qu'un amour avare[1] ou plein d'ambition,
Et souille lâchement par ce mélange infâme
10 Les plus nobles désirs qu'enfante une belle âme.
Je sais bien que mon père a d'autres sentiments,
Et mettra de l'obstacle à nos contentements ;
Mais l'amour sur mon cœur a pris trop de puissance
Pour écouter encor les lois de la naissance.
15 Mon père peut beaucoup, mais bien moins que ma foi* :
Il a choisi pour lui, je veux choisir pour moi.

CLINDOR

Confus de voir donner à mon peu de mérite…

ISABELLE

Voici mon importun, souffrez que je l'évite.

Scène VI

ADRASTE, CLINDOR

ADRASTE

Que vous êtes heureux, et quel malheur me suit !
20 Ma maîtresse* vous souffre, et l'ingrate me fuit !
Quelque goût qu'elle prenne en votre compagnie,
Sitôt que j'ai paru, mon abord l'a bannie !

CLINDOR

Sans qu'elle ait vu vos pas s'adresser[2] en ce lieu,
Lasse de mes discours, elle m'a dit adieu.

ADRASTE

25 Lasse de vos discours ! votre humeur est trop bonne,
Et votre esprit trop beau pour ennuyer personne !
Mais que lui contiez-vous qui pût l'importuner ?

---

1. Avide.
2. Diriger. Cf. *Nicomède* : « Mais votre frère Attale adresse ici ses pas » (I, 1).

CLINDOR

Des choses qu'aisément vous pouvez deviner :
Les amours de mon maître, ou plutôt ses sottises,
530 Ses conquêtes en l'air, ses hautes entreprises.

ADRASTE

Voulez-vous m'obliger ? Votre maître ni vous
N'êtes pas gens tous deux à me rendre jaloux,
Mais, si vous ne pouvez arrêter ses saillies [1],
Divertissez [2] ailleurs le cours de ses folies.

CLINDOR

535 Que craignez-vous de lui, dont tous les compliments [3]
Ne parlent que de morts [4] et de saccagements [5],
Qu'il bat, terrasse, brise, étrangle, brûle, assomme ?

ADRASTE

Pour être son valet je vous trouve honnête homme [6] ;
Vous n'avez point la mine à servir sans dessein
540 Un fanfaron plus fou que son discours n'est vain.
Quoi qu'il en soit, depuis que je vous vois chez elle,
Toujours de plus en plus je l'éprouve cruelle :
Ou vous servez * quelque autre, ou votre qualité
Laisse dans vos projets trop de témérité.
545 Je vous tiens fort suspect de quelque haute adresse [7].
Que votre maître enfin fasse [8] une autre maîtresse *,
Ou, s'il ne peut quitter un entretien si doux,
Qu'il se serve du moins d'un autre que de vous.
Ce n'est pas qu'après tout les volontés d'un père

---

1. Emportement.
2. Détourner (du latin *divertere*).
3. Parole de civilité.
4. Voir, pour exemple, v. 470, la « déclaration » à la reine d'Islande.
5. Saccage.
6. Voir le v. 355 et la note.
7. Ruse. Cf. Racine, *Mithridate* :
   « Vous savez sa coutume et sous quelle tendresse
   Sa haine sait cacher ses trompeuses adresses. » (I, 5)
8. Prenne.

0 Qui sait ce que je suis ne terminent l'affaire ;
Mais purgez [1]-moi l'esprit de ce petit souci,
Et, si vous vous aimez, bannissez-vous d'ici ;
Car si je vous vois plus [2] regarder cette porte,
Je sais comme [3] traiter les gens de votre sorte.

CLINDOR

5 Me croyez-vous bastant [4] de nuire à votre feu* ?

ADRASTE

Sans réplique, de grâce, ou vous verrez beau jeu [5] !
Allez, c'est assez dit.

CLINDOR

Pour un léger ombrage,
C'est trop indignement traiter un bon courage [6].
Si le Ciel en naissant ne m'a fait grand seigneur,
50 Il m'a fait le cœur ferme et sensible à l'honneur*,
Et je suis homme à rendre un jour ce qu'on me prête.

ADRASTE

Quoi ! vous me menacez ?

CLINDOR

Non, non, je fais retraite.
D'un si cruel affront vous aurez peu de fruit,
Mais ce n'est pas ici qu'il faut faire du bruit.

---

1. Fig., délivrer. Cf. *Mélite* :
   « Éraste, voyez-vous, trêve de jalousie !
   Purgez votre cerveau de cette frénésie. » (II, 2)
2. Davantage.
3. Voir le v. 410 et la note.
4. Capable : baster : suffire (cf. l'italien *abbastanza*). Le mot, à la mode dans les années 1630, sort vite de l'usage.
Éd. de 1660 : « Me prenez-vous pour homme à nuire à votre feu ? »
5. Être puni.
6. Voir le v. 317 et la note.

Scène VII

ADRASTE, LYSE

ADRASTE

565 Ce bélître[1] insolent me fait encor bravade.

LYSE

À ce compte, Monsieur, votre esprit est malade ?

ADRASTE

Malade, mon esprit ?

LYSE

Oui, puisqu'il est jaloux
Du malheureux agent[2] de ce Prince des foux[3].

ADRASTE

Je suis trop glorieux[4] et crois[5] trop d'Isabelle
570 Pour craindre qu'un valet me supplante auprès d'elle.
Je ne puis toutefois souffrir sans quelque ennui *
Le plaisir qu'elle prend à rire avecque lui[6].

LYSE

C'est dénier ensemble et confesser la dette[7].

ADRASTE

Nomme, si tu le veux, ma boutade[8] indiscrète,
575 Et trouve mes soupçons bien ou mal à propos,
Je l'ai chassé d'ici pour me mettre en repos.

---

1. Homme vil.
2. Voir le v. 195 et la note.
3. Cette orthographe n'a d'autre raison d'être que la rime avec *jaloux*.
4. Fier.
5. Estimer.
6. Var. (1660) : « Le plaisir qu'elle prend à causer avec lui. » (Voir le v. 127 et la note.)
7. « On dit proverbialement qu'un homme [...] confesse la dette pour dire qu'il est convaincu, qu'il reconnaît qu'il a tort » (Furetière).
8. Caprice.

En effet[1], qu'en est-il ?

LYSE

Si j'ose vous le dire,
Ce n'est plus que pour lui qu'Isabelle soupire.

ADRASTE

Ô Dieu, que me dis-tu ?

LYSE

Qu'il possède son cœur,
30 Que jamais feux * naissants n'eurent tant de vigueur,
Qu'ils meurent l'un pour l'autre et n'ont qu'une pensée.

ADRASTE

Trop ingrate beauté, déloyale, insensée,
Tu m'oses donc ainsi préférer un maraud[2] ?

LYSE

Ce rival orgueilleux le porte bien plus haut[3],
35 Et je vous en veux faire entière confidence :
Il se dit gentilhomme et riche.

ADRASTE

Ah ! l'impudence !

LYSE

D'un père rigoureux fuyant l'autorité,
Il a couru longtemps d'un et d'autre côté ;
Enfin, manque d'argent peut-être, ou par caprice,

---

1. En réalité.
2. « Terme injurieux qui se dit des gueux, des coquins qui n'ont ni bien ni honneur, qui sont capables de faire toutes sortes de lâchetés » (Furetière).
3. Porter haut ou bas se dit du port de tête d'un cheval, puis figurément, *le porter haut*, d'un prétentieux.

590 De notre Rodomont[1] il s'est mis au service,
Où[2], choisi pour agent de ses folles amours[3],
Isabelle a prêté l'oreille à ses discours.
Il a si bien charmé cette pauvre abusée[4]
Que vous en avez vu votre ardeur méprisée.
595 Mais parlez à son père, et bientôt son pouvoir
Remettra[5] son esprit aux termes du devoir.

ADRASTE

Je viens tout maintenant d'en tirer assurance
De recevoir les fruits de ma persévérance,
Et devant qu'il soit peu nous en verrons l'effet.
600 Mais écoute, il me faut obliger tout à fait.

LYSE

Où[6] je vous puis servir, j'ose tout entreprendre.

ADRASTE

Peux-tu dans leurs amours me les faire surprendre ?

LYSE

Il n'est rien plus aisé[7], peut-être dès ce soir.

---

1. Nom d'un guerrier vantard mais brave qui apparaît dans le *Roland amoureux* de Boiardo (1486) et qui donne son nom au fanfaron de la comédie. En 1663, Corneille changera le nom du héros de l'Arioste pour celui du géant sarrasin des chansons de geste. Fierabras, lui aussi injustement réduit à la caricature que l'on sait : « De notre Fierabras il s'est mis au service. »
2. Au cours duquel.
3. Voir le v. 476 et la note.
4. Var. (1660) :
   « Et sous ombre d'agir pour ses folles amours,
   Il a su pratiquer de si rusés détours,
   Et charmer tellement cette pauvre abusée… »
5. Soumettre.
6. D'emploi très étendu au XVIIe siècle, *où* est ici l'équivalent d'une subordonnée hypothétique : si je puis vous servir…
7. Rien de plus aisé. *Rien* est encore senti comme un substantif au XVIIe siècle, équivalent de *chose* (*rem* latin).

ADRASTE

Adieu donc. Souviens-toi de me les faire voir.
Cependant prends ceci seulement par avance.

LYSE

Que le galant alors soit frotté [1] d'importance !

ADRASTE

Crois-moi qu'il se verra, pour te mieux contenter,
Chargé d'autant de bois [2] qu'il en pourra porter.

Scène VIII

LYSE

L'arrogant croit déjà tenir ville gagnée,
Mais il sera puni de m'avoir dédaignée.
Parce qu'il est aimable, il fait le petit Dieu,
Et ne veut s'adresser qu'aux filles de bon lieu [3] ;
Je ne mérite pas l'honneur * de ses caresses :
Vraiment c'est pour son nez [4], il lui faut des maîtresses * ;
Je ne suis que servante, et qu'est-il que valet ?
Si son visage est beau, le mien n'est pas trop laid ;
Il se dit riche et noble, et cela me fait rire :
Si loin de son pays, qui n'en peut autant dire ?
Qu'il le soit, nous verrons ce soir, si je le tiens,
Danser sous le cotret [5] sa noblesse et ses biens.

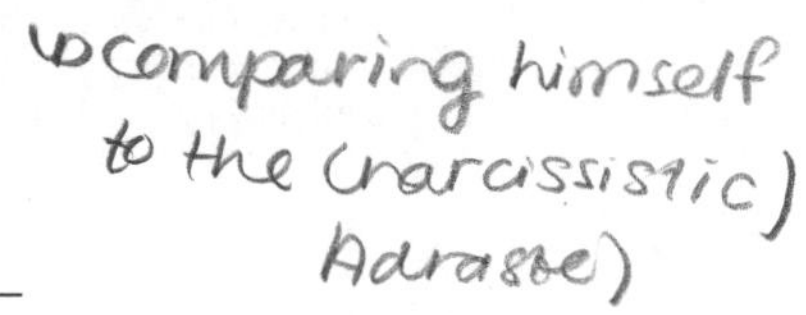

1. Battu.
2. « Charger un homme de bois, lui donner sa provision de bois, lui donner plusieurs coups de bâton » (Furetière).
3. Condition sociale.
4. Ce n'est pas pour lui ; expression proverbiale et basse selon le Dictionnaire de l'Académie.
5. Fagot de bois court. Danser sous le cotret : danser sous les coups de bâton.

Scène IX

ALCANDRE, PRIDAMANT

ALCANDRE

Le cœur vous bat un peu.

PRIDAMANT

Je crains cette menace.

ALCANDRE

Lyse aime trop Clindor pour causer sa disgrâce [1].

PRIDAMANT

Elle en est méprisée et cherche à se venger.

ALCANDRE

Ne craignez point : l'amour la fera bien changer.

1. Voir le v. 402 et la note.

ACTE III

Scène I

GÉRONTE, ISABELLE

GÉRONTE

525 Apaisez vos soupirs et tarissez vos larmes ;
Contre ma volonté ce sont de faibles armes ;
Mon cœur, quoique sensible à toutes vos douleurs,
Écoute la raison et néglige vos pleurs.
Je connais votre bien beaucoup mieux que vous-même.
530 Orgueilleuse, il vous faut, je pense, un diadème !
Et ce jeune baron, avecque tout son bien,
Passe encore chez vous pour un homme de rien !
Que [1] lui manque après tout ? Bien fait de corps et d'âme,
Noble, courageux, riche, adroit et plein de flamme * [2],
535 Il vous fait trop d'honneur *.

ISABELLE

Je sais qu'il est parfait,
Et reconnais [3] fort mal les honneurs * qu'il me fait.
Mais, si votre bonté me permet en ma cause

---

1. *Que* se trouve encore au XVIIe siècle comme forme de pronom interrogatif neutre en fonction de sujet.
2. Var. (1660) :
« Je sais ce qu'il vous faut beaucoup mieux que vous-même.
Vous dédaignez Adraste à cause que je l'aime,
Et parce qu'il me plaît d'en faire votre époux,
Votre orgueil n'y voit rien qui soit digne de vous.
Quoi, manque-t-il de bien, de cœur ou de noblesse ?
En est-ce le visage ou l'esprit qui vous blesse ? »
3. Éprouver de la gratitude. Cf. Racine. *Britannicus* : « Narcisse c'est assez : je reconnais ce soin » (IV, 4).

Pour me justifier de dire quelque chose,
Par un secret instinct que je ne puis nommer,
640 J'en fais beaucoup d'état, et ne le puis aimer.
De certains mouvements que le Ciel nous inspire
Nous font aux yeux d'autrui souvent choisir le pire ;
C'est lui qui d'un regard fait naître en notre cœur
L'estime ou le mépris, l'amour ou la rigueur [1] ;
645 Il attache ici-bas avec des sympathies
Les âmes que son choix a là-haut assorties ;
On n'en saurait unir sans ses avis secrets,
Et cette chaîne manque où manquent ses décrets [2].
Aller contre les lois de cette providence,
650 C'est le prendre à partie [3] et blâmer sa prudence *,
L'attaquer en rebelle et s'exposer aux coups
Des plus âpres malheurs qui suivent son courroux.

GÉRONTE

Impudente, est-ce ainsi que l'on se justifie ?
Quel maître vous apprend cette philosophie ?
655 Vous en savez beaucoup, mais tout votre savoir
Ne m'empêchera pas d'user de mon pouvoir.
Si le Ciel pour mon choix vous donne tant de haine,
Vous a-t-il mise en feu * pour ce grand capitaine ?
Ce guerrier valeureux vous tient-il dans ses fers,
660 Et vous a-t-il domptée avec tout l'univers ?
Ce fanfaron doit-il relever ma famille ?

ISABELLE

Eh ! de grâce, Monsieur, traitez mieux votre fille !

---

1. Var. (1660) :
« Souvent je ne sais quoi que le ciel nous inspire
Soulève tout le cœur contre ce qu'on désire
Et ne nous laisse pas en état d'obéir,
Quand on choisit pour nous ce qu'il nous fait haïr. »
2. L'idée de la prédestination de l'amour, répandue dans les milieux néoplatoniciens, est un thème fréquent de la lyrique amoureuse. Corneille y revient dans plusieurs de ses pièces. Voir par exemple *La Comédie des Tuileries* (III, 2, v. 102-108).
3. Accuser. Cf. *Héraclius* : « Il n'a point pris le ciel ni le sort à partie » (III, 3).

GÉRONTE

Quel sujet donc vous porte à me désobéir ?

ISABELLE

Mon heur* et mon repos[1], que je ne puis trahir :
65 Ce que vous appelez un heureux hyménée*
N'est pour moi qu'un enfer si j'y suis condamnée.

GÉRONTE

Ah ! qu'il en est encor de mieux faites que vous
Qui se voudraient bien voir dans un enfer si doux !
Après tout, je le veux, cédez à ma puissance.

ISABELLE

70 Faites un autre essai de mon obéissance.

GÉRONTE

Ne me répliquez plus quand j'ai dit : Je le veux.
Rentrez, c'est désormais trop contesté nous deux.

Scène II

GÉRONTE

Qu'à présent la jeunesse a d'étranges manies !
Les règles du devoir lui sont des tyrannies,
75 Et les droits les plus saints deviennent impuissants
À l'empêcher de courre[2] après son propre sens.
Mais c'est l'humeur du sexe, il aime à contredire
Pour secouer s'il peut le joug de notre empire,
Ne suit que son caprice en ses affections,
80 Et n'est jamais d'accord de nos élections[3].

---

1. Sérénité.
2. Courir. *Courre* est la forme ancienne de l'infinitif. Malgré Vaugelas, cette forme tend à sortir de l'usage : Corneille corrige en 1660 : v. 676-678 :
« Contre cette fierté qui l'attache à son sens.
Telle est l'humeur du sexe : il aime à contredire.
Rejette obstinément le joug de notre empire… »
3. Choix.

N'espère pas pourtant, aveugle et sans cervelle,
Que ma prudence* cède à ton esprit rebelle.
Mais ce fou viendra-t-il toujours m'embarrasser ?
Par force ou par adresse il me le faut chasser.

Scène III

GÉRONTE, MATAMORE, CLINDOR

MATAMORE, *à Clindor.*

685 N'auras-tu point enfin pitié de ma fortune* ?
Le grand Vizir encor de nouveau m'importune ;
Le Tartare d'ailleurs [1] m'appelle à son secours ;
Narsingue et Calicut [2] m'en pressent tous les jours :
Si je ne les refuse, il me faut mettre en quatre.

CLINDOR

690 Pour moi, je suis d'avis que vous les laissiez battre :
Vous emploieriez trop mal vos invincibles coups
Si, pour en servir un, vous faisiez trois jaloux.

MATAMORE

Tu dis bien, c'est assez de telles courtoisies ;
Je ne veux qu'en amour donner des jalousies.
695 Ah ! Monsieur, excusez si, faute de vous voir,
Bien que si près de vous, je manquais au devoir.
Mais quelle émotion paraît sur ce [3] visage ?
Où sont vos ennemis que j'en fasse un carnage ?

GÉRONTE

Monsieur, grâces aux Dieux, je n'ai point d'ennemis.

MATAMORE

700 Mais grâces à ce bras qui vous les a soumis.

---

1. Par ailleurs.
2. Deux cités de la côte de Malabar, en Inde.
3. Votre. Comme le démonstratif latin *iste, ce* peut parfois marquer la deuxième personne.

GÉRONTE

C'est une grâce encor que j'avais ignorée.

MATAMORE

Depuis que ma faveur pour vous s'est déclarée,
Ils sont tous morts de peur, ou n'ont osé branler[1].

GÉRONTE

C'est ailleurs maintenant qu'il vous faut signaler :
05 Il fait beau[2] voir ce bras plus craint que le tonnerre
Demeurer si paisible en un temps plein de guerre,
Et c'est pour[3] acquérir un nom bien relevé,
D'être dans une ville à battre le pavé[4] !
Chacun croit votre gloire à faux titre usurpée,
10 Et vous ne passez plus que pour traîneur d'épée.

MATAMORE

Ah ventre[5] ! il est tout vrai que vous avez raison !
Mais le moyen d'aller, si je suis en prison ?
Isabelle m'arrête, et ses yeux pleins de charmes *
Ont captivé mon cœur et suspendu mes armes.

GÉRONTE

15 Si rien que[6] son sujet ne vous tient arrêté,
Faites votre équipage[7] en toute liberté :
Elle n'est pas pour vous, n'en soyez point en peine.

MATAMORE

Ventre ! que dites-vous ? Je la veux faire reine !

---

1. Bouger.
2. Il est inutile.
3. C'est de quoi.
4. « Marcher sans cesse dans une ville où l'on est sans occupation » (Furetière). Battre : fouler en marchant.
5. Juron. Cf. ventrebleu. Tous deux sont des variantes par euphémisme de *ventre de Dieu*, dont le caractère blasphématoire explique les altérations diverses ; *idem* pour corbleu, parbleu, pardi.
6. Si rien d'autre que.
7. Préparatifs.

GÉRONTE

Je ne suis pas d'humeur à rire tant de fois
720 Du crotesque [1] récit de vos rares exploits.
La sottise ne plaît qu'alors qu'elle est nouvelle.
En un mot, faites reine une autre qu'Isabelle.
Si pour l'entretenir vous venez plus ici…

MATAMORE

Il a perdu le sens de me parler ainsi !
725 Pauvre homme, sais-tu bien que mon nom effroyable
Met le Grand Turc en fuite et fait trembler le diable ?
Que, pour t'anéantir, je ne veux qu'un moment ?

GÉRONTE

J'ai chez moi des valets à mon commandement
Qui, se connaissant mal à faire des bravades,
730 Répondraient de la main à vos rodomontades [2].

MATAMORE, *à Clindor.*

Dis-lui ce que j'ai fait en mille et mille lieux.

GÉRONTE

Adieu, modérez-vous, il vous en prendra mieux ;
Bien que je ne sois pas de ceux qui vous haïssent,
J'ai le sang un peu chaud, et mes gens m'obéissent.

Scène IV

MATAMORE, CLINDOR

MATAMORE

735 Respect de ma maîtresse *, incommode vertu *,
Tyran de ma vaillance, à quoi me réduis-tu ?
Que n'ai-je eu cent rivaux à la place d'un père

---

1. Grotesque. *Crotesque* est l'orthographe la plus courante, mais tend à céder la place à son concurrent au cours du siècle. Néanmoins, Corneille a maintenu la forme dans toutes ses éditions.
2. Propos dignes de Rodomont (voir le v. 590 et la note).

Sur qui, sans t'offenser, laisser choir ma colère ?
Ah ! visible démon, vieux spectre décharné,
740 Vrai suppôt de Satan, médaille[1] de damné,
Tu m'oses donc bannir, et même avec menaces,
Moi de qui tous les rois briguent les bonnes grâces !

CLINDOR

Tandis qu'il est dehors, allez, dès aujourd'hui,
Causer de vos amours et vous moquer de lui.

MATAMORE

745 Cadédiou[2], ses valets feraient quelque insolence !

CLINDOR

Ce fer a trop de quoi dompter leur violence.

MATAMORE

Oui, mais les feux qu'il jette en sortant de prison[3]
Auraient en un moment embrasé la maison,
Dévoré tout à l'heure ardoises et gouttières,
750 Faîtes, lattes, chevrons, montants, courbes, filières,
Entretoises, sommiers, colonnes, soliveaux,
Pannes, soles, appuis, jambages, travetaux[4],
Portes, grilles, verrous, serrures, tuiles, pierre,
Plomb, fer, plâtre, ciment, peinture, marbre, verre,
755 Caves, puits, cours, perrons, salles, chambres, greniers,

---

1. « Se dit des personnes vieilles et laides, et des figures en buste qui les représentent » (Furetière).
2. Juron gascon, chef (tête) de Dieu. Voir le v. 711 et la note.
3. Désigne ici le fourreau.
4. Faîte : pièce de bois qui constitue le sommet de la charpente d'un édifice ; latte : pièce de bois longue et plate, utilisée pour supporter les ardoises ; chevron : pièce de la charpente qui supporte les lattes, et qui repose elle-même sur les filières et les pannes ; courbe : pièce de la charpente en forme d'arc ; entretoise : pièce de bois reliant deux éléments écartés ; sommier : pierre supportant la retombée d'une voûte ; soliveau : pièce de charpente reposant sur les poutres et sur laquelle sont fixées d'un côté les lattes du plafond, de l'autre le plancher (à peu près équivalent de travetau) ; sole : pièce de bois posée à plat pour servir d'appui.

Offices, cabinets, terrasses, escaliers :
Juge un peu quel désordre * aux yeux de ma charmeuse * !
Ces feux étoufferaient son ardeur amoureuse ;
Va lui parler pour moi, toi qui n'es pas vaillant ;
760 Tu puniras à moins [1] un valet insolent.

CLINDOR

C'est m'exposer…

MATAMORE

Adieu, je vois ouvrir la porte,
Et crains que sans respect cette canaille sorte [2].

Scène V

CLINDOR, LYSE

CLINDOR

Le souverain poltron, à qui pour faire peur
Il ne faut qu'une feuille, une ombre, une vapeur !
765 Un vieillard le maltraite, il fuit pour une fille,
Et tremble à tous moments de crainte qu'on l'étrille [3] !
Lyse, que ton abord doit être dangereux !
Il donne l'épouvante à ce cœur généreux,
Cet unique vaillant, la fleur des capitaines,
770 Qui dompte autant de rois qu'il captive de reines.

LYSE

Mon visage est ainsi malheureux en attraits :
D'autres charment * de loin, le mien fait peur de près.

CLINDOR

S'il fait peur à des fous, il charme * les plus sages ;
Il n'est pas quantité de semblables visages ;
775 Si l'on brûle pour toi, ce n'est pas sans sujet ;

---

1. En causant moins de mal.
2. Ne sorte. *Ne* est fréquemment omis après un verbe de crainte.
3. Voir le v. 762 et la note.

Je ne connus jamais un si gentil objet* :
L'esprit beau, prompt, accort[1], l'humeur un peu railleuse,
L'embonpoint[2] ravissant, la taille avantageuse,
Les yeux doux, le teint vif et les traits délicats,
30 Qui serait le brutal qui ne t'aimerait pas ?

LYSE

De grâce, et depuis quand me trouvez-vous si belle ?
Voyez bien, je suis Lyse, et non pas Isabelle !

CLINDOR

Vous partagez vous deux mes inclinations :
J'adore sa fortune* et tes perfections.

LYSE

35 Vous en embrassez trop, c'est assez pour vous d'une,
Et mes perfections cèdent à sa fortune*.

CLINDOR

Bien que pour l'épouser je lui donne ma foi*,
Penses-tu qu'en effet[3] je l'aime plus que toi ?
L'amour et l'hyménée* ont diverse méthode :
90 L'un court au plus aimable, et l'autre au plus commode.
Je suis dans la misère, et tu n'as point de bien ;
Un rien s'assemble mal avec un autre rien.
Mais si tu ménageais ma flamme* avec adresse,
Une femme est sujette, une amante est maîtresse*.
95 Les plaisirs sont plus grands à se voir moins souvent ;
La femme les achète, et l'amante les vend ;
Un amour par devoir bien aisément s'altère ;
Les nœuds en sont plus forts quand il est volontaire ;
Il hait toute contrainte, et son plus doux appas
00 Se goûte quand on aime et qu'on peut n'aimer pas.
Seconde avec douceur celui que je te porte.

---

1. « Qui se sait accommoder à l'humeur des personnes avec qui il a affaire » (Furetière).
2. Aspect d'un corps en parfaite santé.
3. Voir le v. 577 et la note.

LYSE

Vous me connaissez trop pour m'aimer de la sorte,
Et vous en parlez moins de votre sentiment
Qu'à dessein de railler par divertissement.
805 Je prends tout en riant comme vous me le dites.
Allez continuer cependant vos visites.

CLINDOR

Un peu de tes faveurs me rendrait plus content * [1].

LYSE

Ma maîtresse là-haut est seule et vous attend.

CLINDOR

Tu me chasses ainsi !

LYSE

Non, mais je vous envoie
810 Aux lieux où vous trouvez votre heur * et votre joie.

---

1. Var. (1660) :
« Un rien s'ajuste mal avec un autre rien ;
Et malgré les douceurs que l'amour y déploie,
Deux malheureux ensemble ont toujours courte joie.
Ainsi j'aspire ailleurs pour vaincre mon malheur ;
Mais je ne puis te voir sans un peu de douleur,
Sans qu'un soupir échappe à ce cœur qui murmure
De ce qu'à mes désirs ma raison fait d'injure.
À tes moindres coups d'œil je me laisse charmer.
Ah ! que je t'aimerais, s'il ne fallait qu'aimer ;
Et que tu me plairais, s'il ne fallait que plaire !
LYSE
Que vous auriez d'esprit si vous saviez vous taire,
Ou remettre du moins en quelque autre saison
À montrer tant d'amour avec tant de raison !
Le grand trésor pour moi qu'un amoureux si sage,
Qui par compassion n'ose me rendre hommage,
Et porte ses désirs à des partis meilleurs,
De peur de m'accabler sous nos communs malheurs !
Je n'oublierai jamais de si rares mérites.
Allez continuer cependant vos visites.
CLINDOR
Que j'aurais avec toi l'esprit bien plus content ! »

CLINDOR

Que même tes dédains me semblent gracieux !

LYSE

Ah ! que vous prodiguez un temps si précieux !
Allez.

CLINDOR

Souviens-toi donc[1]...

LYSE

De rien que m'ait pu dire...

CLINDOR

Un amant *...

LYSE

Un causeur qui prend plaisir à rire.

Scène VI

LYSE

5 L'ingrat ! il trouve enfin mon visage charmant,
Et pour me suborner * il contrefait l'amant * !
Qui hait ma sainte ardeur m'aime dans l'infamie,
Me dédaigne pour femme et me veut pour amie !
Perfide, qu'as-tu vu dedans mes actions
0 Qui te dût enhardir à ces prétentions ?
Qui t'a fait m'estimer digne d'être abusée,
Et juger mon honneur * une conquête aisée ?

---

1. Toute la fin de cette scène a été remaniée dans l'édition de 1660 :
« Souviens-toi donc que si j'en aime une autre...
LYSE
C'est de peur d'ajouter ma misère à la vôtre :
Je vous l'ai déjà dit, je ne l'oublierai pas.
CLINDOR
Adieu : ta raillerie a pour moi tant d'appas,
Que mon cœur à tes yeux de plus en plus s'engage,
Et je t'aimerais trop à tarder davantage. »

J'ai tout pris en riant, mais c'était seulement
Pour ne t'avertir pas de mon ressentiment.
825 Qu'eût produit son éclat que [1] de la défiance ?
Qui cache sa colère assure sa vengeance,
Et ma feinte douceur, te laissant espérer,
Te jette dans les rets [2] que j'ai su préparer.
Va, traître, aime en tous lieux et partage ton âme,
830 Choisis qui tu voudras pour maîtresse * et pour femme,
Donne à l'une ton cœur, donne à l'autre ta foi *,
Mais ne crois plus tromper Isabelle ni moi.
Ce long calme bientôt va tourner en tempête,
Et l'orage est tout prêt à fondre sur ta tête :
835 Surpris [3] par un rival dans ce cher entretien,
Il vengera d'un coup son malheur et le mien.
Toutefois qu'as-tu fait qui t'en rende coupable ?
Pour chercher sa fortune * est-on si punissable ?
Tu m'aimes, mais le bien te fait être inconstant :
840 Au siècle où nous vivons qui n'en ferait autant ?
Oublions les projets de sa flamme * maudite,
Et laissons-le jouir du bonheur qu'il mérite [4].
Que de pensers [5] divers en mon cœur amoureux,
Et que je sens dans l'âme un combat rigoureux !
845 Perdre qui me chérit ! épargner qui m'affronte !
Ruiner ce que j'aime ! aimer qui veut ma honte !

---

1. Sinon.
2. Filets (de chasse) : piège.
3. Se rapporte à Clindor, alors que le sujet de la proposition *il* désigne *l'orage*. Sur cette libre construction de l'adjectif, voir le v. 497 et la note.
4. Lyse est ici partagée entre l'indulgence et la vengeance. Dans le « drame » des actes II, III et IV, c'est la sévérité qui l'emporte. Le personnage que Lyse incarnera dans la tragédie de l'acte V conseillera, en revanche, la clémence à sa maîtresse Hippolyte. On peut y lire l'histoire d'un caractère dont les rôles marquent à la scène la patiente maturation. On peut aussi considérer que d'une pièce à l'autre, de la comédie de Bordeaux à la tragédie anglaise, le dramaturge élabore des scénarios différents privilégiant chaque fois telle ou telle tendance inscrite dans la définition originaire du personnage. Pareille hypothèse pourrait être avancée à propos du monologue de Clindor dans sa prison (IV, 7). *L'Illusion comique* raconterait ainsi – aussi – l'histoire d'une pièce en train de se faire ; d'où son regain d'intérêt chez les Modernes.
5. Voir le v. 246 et la note.

L'amour produira-t-il un si cruel effet ?
L'impudent rira-t-il de l'affront qu'il m'a fait ?
Mon amour me séduit*, et ma haine m'emporte ;
50 L'une[1] peut tout sur moi, l'autre n'est pas moins forte.
N'écoutons plus l'amour pour un tel suborneur*,
Et laissons à la haine assurer mon honneur*[2].

---

1. Sur le genre du mot *amour*, voir le v. 476 et la note.
2. La tirade de Lyse a été profondément remaniée dans l'édition de 1660 :

« L'ingrat ! il trouve enfin mon visage charmant,
Et pour se divertir il contrefait l'amant !
Qui néglige mes feux m'aime par raillerie,
Me prend pour le jouet de sa galanterie,
Et par un libre aveu de me voler sa foi,
Me jure qu'il m'adore et ne veut point de moi.
Aime en tous lieux, perfide, et partage ton âme ;
Choisis qui tu voudras pour maîtresse ou pour femme ;
Donne à tes intérêts à ménager tes vœux ;
Mais ne crois plus tromper aucune de nous deux.
Isabelle vaut mieux qu'un amour politique,
Et je vaux mieux qu'un cœur où cet amour s'applique.
J'ai raillé comme toi, mais c'était seulement
Pour ne t'avertir pas de mon ressentiment.
Qu'eût produit son éclat, que de la défiance ?
Qui cache sa colère assure sa vengeance ;
Et ma feinte douceur prépare beaucoup mieux
Ce piège où tu vas choir, et bientôt à mes yeux.
Toutefois qu'as-tu fait qui t'en rende coupable ?
Pour chercher sa fortune est-on si punissable ?
Tu m'aimes, mais le bien te fait être inconstant :
Au siècle où nous vivons qui n'en ferait autant ?
Oublions des mépris où par force il s'excite,
Et laissons-le jouir du bonheur qu'il mérite.
S'il m'aime, il se punit en m'osant dédaigner,
Et si je l'aime encor, je le dois épargner.
Dieux ! à quoi me réduit ma folle inquiétude,
De vouloir faire grâce à tant d'ingratitude ?
Digne soif de vengeance, à quoi m'exposez-vous,
De laisser affaiblir un si juste courroux ?
Il m'aime, et de mes yeux je m'en vois méprisée !
Je l'aime, et ne lui sers que d'objet de risée !
Silence, amour, silence, il est temps de punir ;
J'en ai donné ma foi : laisse-moi la tenir.
Puisque ton faux espoir ne fait qu'aigrir ma peine,
Fais céder tes douceurs à celle de la haine :
Il est temps qu'en mon cœur elle règne à son tour,
Et l'amour outragé ne doit plus être amour. »

Scène VII

MATAMORE

Les voilà, sauvons-nous ! Non, je ne vois personne.
Avançons hardiment. Tout le corps me frissonne.
855 Je les entends, fuyons. Le vent faisait ce bruit.
Coulons-nous [1] en faveur des ombres de la nuit [2].
Vieux rêveur [3], malgré toi j'attends ici ma reine.
Ces diables de valets me mettent bien en peine.
De deux mille ans et plus je ne tremblai si fort.
860 C'est trop me hasarder * : s'ils sortent, je suis mort ;
Car j'aime mieux mourir que leur donner bataille,
Et profaner mon bras contre cette canaille.
Que le courage expose à d'étranges dangers !
Toutefois en tout cas je suis des plus légers ;
865 S'il ne faut que courir, leur attente est dupée ;
J'ai le pied pour le moins aussi bon que l'épée.
Tout de bon, je les vois. C'est fait [4], il faut mourir.
J'ai le corps tout glacé, je ne saurais courir.
Destin, qu'à ma valeur tu te montres contraire !
870 C'est ma reine elle-même avec mon secrétaire.
Tout mon corps se déglace. Écoutons leurs discours,
Et voyons son adresse à traiter mes amours.

Scène VIII

CLINDOR, ISABELLE, MATAMORE

ISABELLE

Tout se prépare mal du côté de mon père ;
Je ne le vis jamais d'une humeur si sévère ;

1. Se dérober. Cf. *La Place royale* : « Va, quitte-moi, ma vie, et te coule sans bruit » (III, 6).
2. Var. (1660) : « Marchons sous la faveur des ombres de la nuit. »
3. Géronte.
4. C'en est fait.

Il ne souffrira plus votre maître ni [1] vous.
Notre baron d'ailleurs est devenu jaloux,
Et c'est aussi pourquoi je vous ai fait descendre :
Dedans mon cabinet [2], ils nous pourraient surprendre ;
Ici nous causerons en plus de sûreté ;
Vous pourrez vous couler [3] d'un et d'autre [4] côté,
Et, si quelqu'un survient, ma retraite est ouverte.

CLINDOR

C'est trop prendre de soin pour empêcher ma perte.

ISABELLE

Je n'en puis prendre trop pour conserver un bien
Sans qui tout l'univers ensemble ne m'est rien.
Oui, je fais plus d'état d'avoir gagné votre âme
Que si tout l'univers me connaissait pour dame [5].
Un rival par mon père attaque en vain ma foi*,
Votre amour seul a droit de triompher de moi.
Des discours de tous deux je suis persécutée ;
Mais pour vous je me plais à être maltraitée ;
Il n'est point de tourments qui ne me semblent doux,
Si ma fidélité les endure pour vous [6].

CLINDOR

Vous me rendez confus, et mon âme ravie [7]

---

1. Ne figure généralement que devant le dernier terme d'une énumération.
2. « Lieu de retraite pour travailler, ou converser en particulier, ou pour y serrer des papiers, des livres, ou quelque autre chose » (Dictionnaire de l'Académie).
3. Voir le v. 856 et la note.
4. L'article est souvent omis devant *autre* au XVIIe siècle.
5. Var. (1660) :
 « Je n'en puis prendre trop pour assurer un bien
 Sans qui tous autres biens à mes yeux ne sont rien :
 Un bien qui vaut pour moi la terre tout entière ;
 Et pour qui seul enfin j'aime à voir la lumière. »
6. Var. (1660) :
 « Et des plus grands malheurs je bénirais les coups,
 Si ma fidélité les endurait pour vous. »
7. Sens très fort, transportée.

Ne vous peut en revanche offrir rien que ma vie.
895 Mon sang est le seul bien qui me reste en ces lieux,
Trop heureux [1] de le perdre en servant vos beaux yeux.
Mais si mon astre un jour, changeant son influence,
Me donne un accès libre aux lieux de ma naissance,
Vous verrez que ce choix n'est pas tant inégal,
900 Et que, tout balancé [2], je vaux bien un rival.
Cependant, mon souci [3], permettez-moi de craindre
Qu'un père et ce rival ne veuillent vous contraindre.

ISABELLE

J'en sais bien le remède, et croyez qu'en ce cas
L'un aura moins d'effet que l'autre n'a d'appas.
905 Je ne vous dirai point où [4] je suis résolue :
Il suffit que sur moi je me rends [5] absolue [6],
Que leurs plus grands efforts* sont des efforts* en l'air,
Et que...

MATAMORE

C'est trop souffrir, il est temps de parler [7] !

ISABELLE

Dieux ! on nous écoutait !

---

1. Sur la construction de l'adjectif, voir le v. 497 et la note.
2. Pesé, considéré.
3. Expression courante (le nom du sentiment éprouvé précédé de l'adjectif possessif) pour désigner la personne aimée. Voir plus loin, « Mon heur ! » (v. 1317). Corneille supprime ces formules dans l'édition de 1660 : « Mais avec ces douceurs, permettez-moi de craindre. »
4. À quoi. L'emploi de *où* aux cas obliques est très fréquent au XVIIe siècle.
5. L'indicatif, et non le subjonctif du français moderne, pour marquer la positivité du fait.
6. Qui exerce un pouvoir absolu.
7. Var. (1660) :
« Ainsi tous leurs projets sont des projets en l'air.
Ainsi...
MATAMORE
Je n'en puis plus : il est temps de parler. »

CLINDOR

C'est notre capitaine.

Je vais bien l'apaiser, n'en soyez pas en peine.

Scène IX

MATAMORE, CLINDOR

MATAMORE

Ah, traître !

CLINDOR

Parlez bas : ces valets…

MATAMORE

Eh bien, quoi ?

CLINDOR

Ils fondront tout à l'heure et sur vous et sur moi.

MATAMORE [1]

Viens çà, tu sais ton crime, et qu'à l'objet * que j'aime,
Loin de parler pour moi, tu parlais pour toi-même.

CLINDOR

Oui, j'ai pris votre place et vous ai mis dehors.

MATAMORE

Je te donne le choix de trois ou quatre morts.
Je vais d'un coup de poing te briser comme verre,
Ou t'enfoncer tout vif au centre de la terre,
Ou te fendre en dix parts d'un seul coup de revers [2],
Ou te jeter si haut au-dessus des éclairs

1. À partir de l'édition de 1644, Corneille ajoute l'indication suivante : « le tire à un coin du théâtre ».
2. Coup d'épée assené de gauche à droite.

Que tu sois dévoré des feux élémentaires[1].
Choisis donc promptement, et songe à tes affaires.

CLINDOR

Vous-même choisissez.

MATAMORE

Quel choix proposes-tu ?

CLINDOR

De fuir en diligence ou d'être bien battu.

MATAMORE

925 Me menacer encore ! Ah, ventre[2], quelle audace !
Au lieu d'être à genoux et d'implorer ma grâce !
Il a donné le mot, ces valets vont sortir !
Je m'en vais commander aux mers de t'engloutir.

CLINDOR

Sans vous chercher si loin un si grand cimetière,
930 Je vous vais de ce pas jeter dans la rivière.

MATAMORE

Ils sont d'intelligence[3], ah, tête !

CLINDOR

Point de bruit !
J'ai déjà massacré dix hommes cette nuit,
Et si vous me fâchez vous en croîtrez le nombre.

MATAMORE

Cadédiou[4], ce coquin a marché dans mon ombre !

---

1. Pour les Anciens, le feu est l'un des quatre éléments qui entrent en composition pour former les corps physiques. À l'état pur, il ne se trouve que dans les régions supérieures du ciel.
2. Voir le v. 711 et la note.
3. Complices.
4. Voir le v. 745 et la note.

Il s'est fait tout vaillant d'avoir suivi mes pas.
S'il avait du respect, j'en voudrais faire cas.
Écoute, je suis bon, et ce serait dommage
De priver l'univers d'un homme de courage :
Demande-moi pardon et quitte cet objet *
Dont les perfections m'ont rendu son sujet [1] ;
Tu connais ma valeur, éprouve ma clémence.

CLINDOR

Plutôt, si votre amour a tant de véhémence,
Faisons deux coups d'épée au nom de sa beauté.

MATAMORE

Parbleu, tu me ravis de générosité [2] !
Va, pour la conquérir n'use plus d'artifices,
Je te la veux donner pour prix de tes services.
Plains-toi dorénavant d'avoir un maître ingrat !

CLINDOR

À ce rare présent d'aise le cœur me bat.
Protecteur des grands rois, guerrier trop magnanime,
Puisse tout l'univers bruire de votre estime [3] !

Scène X

ISABELLE, MATAMORE, CLINDOR

ISABELLE

Je rends grâces au Ciel de ce qu'il a permis
Qu'à la fin sans combat je vous vois bons amis.

---

1. Var. (1660) :
« Demande-moi pardon et cesse par tes feux
De profaner l'objet digne seul de mes vœux. »
2. Noblesse de cœur, courage. La générosité, dans le code des valeurs aristocratiques, est l'ensemble des qualités qui distinguent l'origine, la race (en latin *genus*) de celui qui s'en réclame.
3. L'estime qu'on vous doit.

MATAMORE

Ne pensez plus, ma reine, à l'honneur * que ma flamme *
Vous devait faire un jour de vous prendre pour femme :
955 Pour quelque occasion [1] j'ai changé de dessein ;
Mais je vous veux donner un homme de ma main [2].
Faites-en de l'état [3], il est vaillant lui-même :
Il commandait sous moi.

ISABELLE

Pour vous plaire, je l'aime.

CLINDOR

Mais il faut du silence à notre affection.

MATAMORE

960 Je vous promets silence et ma protection.
Avouez-vous [4] de moi par tous les coins du monde :
Je suis craint à l'égal sur la terre et sur l'onde.
Allez, vivez contents * sous une même loi.

ISABELLE

Pour vous mieux obéir, je lui donne ma foi *.

CLINDOR

965 Commandez que sa foi * soit d'un baiser suivie.

MATAMORE

Je le veux.

---

1. Raison, circonstance.
2. Main désigne ici le donateur et, par extension, celui qui a le pouvoir de faire ou de donner quelque chose.
3. Faire cas de.
4. Recommandez-vous.

Scène XI

GÉRONTE, ADRASTE, MATAMORE, CLINDOR, ISABELLE, LYSE, TROUPES DE DOMESTIQUES

ADRASTE

Ce baiser te va coûter la vie,
Suborneur *[1] !

MATAMORE

Ils ont pris mon courage en défaut.
Cette porte est ouverte, allons gagner le haut.

CLINDOR

Traître qui te fais fort d'une troupe brigande[2],
0 Je te choisirai bien au milieu de la bande !

GÉRONTE

Dieux ! Adraste est blessé, courez au médecin !
Vous autres cependant, arrêtez l'assassin.

CLINDOR

Hélas, je cède au nombre ! Adieu, chère Isabelle !
Je tombe au[3] précipice où mon destin m'appelle.

GÉRONTE

5 C'en est fait. Emportez ce corps à la maison.
Et vous, conduisez tôt ce traître à la prison.

---

1. Var. (1660) :
« Commandez que sa foi de quelque effet suivie…
SCÈNE XI
ADRASTE
Cet insolent discours te coûtera la vie… »
2. Emploi archaïsant du mot en position d'adjectif.
3. Dans. La langue du XVIIe siècle emploie encore fréquemment la préposition *à* là où l'usage moderne préfère *dans.*

Scène XII

ALCANDRE, PRIDAMANT

PRIDAMANT

Hélas ! mon fils est mort !

ALCANDRE

Que vous avez d'alarmes * !

PRIDAMANT

Ne lui refusez point le secours de vos charmes *.

ALCANDRE

Un peu de patience et, sans un tel secours,
980 Vous le verrez bientôt heureux en ses amours.

ACTE IV

Scène première

ISABELLE

Enfin le terme approche, un jugement inique
Doit faire agir demain un pouvoir tyrannique,
À son propre assassin immoler mon amant *,
En faire une vengeance au lieu d'un châtiment.
85 Par un décret injuste autant comme [1] sévère,
Demain doit [2] triompher la haine de mon père,
La faveur du pays, l'autorité du mort,
Le malheur d'Isabelle, et la rigueur du sort,
Hélas ! que d'ennemis, et de quelle puissance
90 Contre le faible appui que donne l'innocence,
Contre un pauvre inconnu de qui tout le forfait
C'est de m'avoir aimée et d'être trop parfait !
Oui, Clindor, tes vertus * et ton feu * légitime,
T'ayant acquis mon cœur, ont fait aussi ton crime ;
95 Contre elles un jaloux fit son traître dessein [3],
Et reçut le trépas qu'il portait [4] dans ton sein.
Qu'il eût valu bien mieux à ta valeur trompée

---

1. Autant que. « Ce mot, quand il est comparatif, demande que après lui, et non pas comme » (Vaugelas). Dans l'édition de 1660, Corneille corrigera en maint endroit cet archaïsme. Le v. 985 n'a toutefois pas été modifié.
2. Doivent. Latinisme : quand il correspond à plusieurs sujets, le verbe s'accorde avec le plus proche.
3. Les vers 995 à 1010 seront supprimés dans l'édition de 1660.
4. S'apprêtait à porter. Exemple d'imparfait d'imminence, comme le nomment les grammairiens, qui décrit (au mode indicatif) une action qui a manqué se produire.

Offrir ton estomac ouvert à son épée[1],
Puisque loin de punir ceux qui t'ont attaqué,
1000 Les lois vont achever le coup qu'ils ont manqué !
Tu fusses mort alors, mais sans ignominie,
Ta mort n'eût point laissé ta mémoire ternie,
On n'eût point vu le faible opprimé du puissant,
Ni mon pays souillé du sang d'un innocent,
1005 Ni Thémis[2] endurer l'indigne violence
Qui pour l'assassiner emprunte sa balance.
Hélas ! et de quoi[3] sert à mon cœur enflammé
D'avoir fait un beau choix et d'avoir bien aimé,
Si mon amour fatal* te conduit au supplice
1010 Et m'apprête à moi-même un mortel précipice !
Car en vain après toi l'on me laisse le jour,
Je veux perdre la vie en perdant mon amour,
Prononçant[4] ton arrêt, c'est de moi qu'on dispose,
Je veux suivre ta mort puisque j'en suis la cause,
1015 Et le même moment verra par deux trépas
Nos esprits amoureux se rejoindre là-bas.
Ainsi, père inhumain, ta cruauté déçue[5]
De nos saintes ardeurs verra l'heureuse issue,
Et si ma perte alors fait naître tes douleurs,
1020 Auprès de mon amant* je rirai de tes pleurs ;
Ce qu'un remords cuisant te coûtera de larmes
D'un si doux entretien augmentera les charmes* ;
Ou s'il n'a pas assez de quoi te tourmenter,
Mon ombre chaque jour viendra t'épouvanter,
1025 S'attacher à tes pas dans l'horreur des ténèbres,
Présenter à tes yeux mille images funèbres,
Jeter dans ton esprit un éternel effroi,
Te reprocher ma mort, t'appeler après moi,
Accabler de malheurs ta languissante vie,

1. Cf. *Le Cid* : « Je vais lui présenter mon estomac ouvert » (V, 1).
2. Déesse grecque de la justice. Elle a la balance pour attribut.
3. À quoi.
4. En prononçant.
5. Trompée dans son attente.

Et te réduire au point de me porter envie.
Enfin…

Scène II

ISABELLE, LYSE

LYSE

Quoi ! chacun dort, et vous êtes ici !
Je vous jure, Monsieur en est en grand souci.

ISABELLE

Quand on n'a plus d'espoir, Lyse, on n'a plus de crainte.
Je trouve des douceurs à faire ici ma plainte :
Ici je vis Clindor pour la dernière fois ;
Ce lieu me redit mieux les accents de sa voix,
Et remet plus avant dans ma triste pensée
L'aimable souvenir de mon amour passée [1].

LYSE

Que vous prenez de peine à grossir vos ennuis* !

ISABELLE

Que veux-tu que je fasse en l'état où je suis ?

LYSE

De deux amants parfaits dont vous étiez servie*,
L'un est mort, et demain l'autre perdra la vie :
Sans perdre plus de temps à soupirer pour eux,
Il en faut trouver un qui les vaille tous deux.

ISABELLE

Impudente, oses-tu me tenir ces paroles ?

---

1. Var. (1660) :
« Et remet plus avant en mon âme éperdue
L'aimable souvenir d'une si chère vue. »

LYSE

Quel fruit espérez-vous de vos douleurs frivoles ?
Pensez-vous, pour pleurer et ternir vos appas *,
Rappeler votre amant * des portes du trépas ?
Songez plutôt à faire une illustre conquête.
1050 Je sais pour vos liens une âme toute prête,
Un homme incomparable.

ISABELLE

Ôte-toi de mes yeux.

LYSE

Le meilleur jugement ne choisirait pas mieux.

ISABELLE

Pour croître mes douleurs faut-il que je te voie ?

LYSE

Et faut-il qu'à vos yeux je déguise ma joie ?

ISABELLE

1055 D'où te vient cette joie ainsi hors de saison [1] ?

LYSE

Quand je vous l'aurai dit, jugez si j'ai raison.

ISABELLE

Ah ! ne me conte rien !

LYSE

Mais l'affaire vous touche.

ISABELLE

Parle-moi de Clindor ou n'ouvre point la bouche.

LYSE

Ma belle humeur qui rit au milieu des malheurs

1. Hors de propos.

60 Fait plus en un moment qu'un siècle de vos pleurs :
Elle a sauvé Clindor.

ISABELLE
Sauvé Clindor ?

LYSE
Lui-même.
Et puis, après cela, jugez si je vous aime !

ISABELLE
Et de grâce, où faut-il que je l'aille trouver ?

LYSE
Je n'ai que commencé, c'est à vous d'achever.

ISABELLE
65 Ah, Lyse !

LYSE
Tout de bon, seriez-vous pour [1] le suivre ?

ISABELLE
Si je suivrais celui sans qui je ne puis vivre ?
Lyse, si ton esprit ne le tire des fers,
Je l'accompagnerai jusque dans les Enfers.
Va, ne m'informe [2] plus si je suivrais sa fuite !

LYSE
70 Puisque à ce beau dessein l'amour vous a réduite,
Écoutez où j'en suis et secondez mes coups :
Si votre amant* n'échappe, il ne tiendra qu'à vous.
La prison est fort proche.

ISABELLE
Eh bien ?

---

1. Être disposé à.
2. Demander.

LYSE

Le voisinage
Au frère du concierge a fait voir mon visage ;
1075 Et comme c'est tout un que me voir et m'aimer,
Le pauvre malheureux s'en est laissé charmer *.

ISABELLE

Je n'en avais rien su !

LYSE

J'en avais tant de honte
Que je mourais de peur qu'on vous en fît le conte.
Mais depuis quatre jours votre amant * arrêté [1]
1080 A fait que, l'allant voir, je l'ai mieux écouté ;
Des yeux et du discours flattant son espérance,
D'un mutuel amour j'ai formé l'apparence :
Quand on aime une fois [2] et qu'on se croit aimé,
On fait tout pour l'objet * dont on est enflammé ;
1085 Par là j'ai sur son âme assuré mon empire,
Et l'ai mis en état de ne m'oser dédire [3].
Quand il n'a plus douté de mon affection,
J'ai fondé mes refus sur sa condition * ;
Et lui, pour m'obliger, jurait [4] de s'y déplaire ;
1090 Mais que [5] malaisément il s'en pouvait défaire,
Que les clefs des prisons qu'il gardait aujourd'hui
Étaient le plus grand bien de son frère et de lui.

---

1. L'arrestation de votre amant. Ce tour est un latinisme qui consiste dans l'emploi du participe passé passif en fonction d'adjectif épithète, au lieu du substantif correspondant déterminé par un complément de nom.
2. Une fois qu'on aime. Cf. *Nicomède* :
« Et si ce diadème une fois est à nous.
Que cette reine après se choisisse un époux » (I, 5).
3. Désavouer.
4. Soutenir haut et fort.
5. Cette subordonnée dépend du verbe *jurer*, sur le même plan que l'infinitif *se déplaire*. Sur la double construction des verbes dans l'ancienne langue, voir le v. 1209 et la note.

Moi de prendre[1] mon temps, que[2] sa bonne fortune*
Ne lui pouvait offrir d'heure plus opportune ;
)5 Que, pour se faire riche et pour me posséder,
Il n'avait seulement qu'à s'en accommoder ;
Qu'il tenait dans les fers un seigneur de Bretagne
Déguisé sous le nom du sieur de la Montagne ;
Qu'il fallait le sauver et le suivre chez lui ;
)0 Qu'il nous ferait du bien et serait notre appui.
Il demeure étonné*, je le presse, il s'excuse[3] ;
Il me parle d'amour, et moi je le refuse ;
Je le quitte en colère, il me suit tout confus,
Me fait nouvelle excuse, et moi nouveau refus.

ISABELLE

)5 Mais enfin ?

LYSE

J'y retourne, et le trouve fort triste ;
Je le juge ébranlé ; je l'attaque, il résiste.
Ce matin : « En un mot le péril est pressant,
Ç'ai-je dit[4], tu peux tout, et ton frère est absent.
Mais il faut de l'argent pour un si long voyage,
10 M'a-t-il dit, il en faut pour faire l'équipage ;
Ce cavalier[5] en manque. »

ISABELLE

Ah ! Lyse, tu devais
Lui faire offre en ce cas de tout ce que j'avais,
Perles, bagues, habits.

---

1. Infinitif de narration, toujours précédé de la préposition *de.*
2. Tour elliptique un peu hardi (il suppose un verbe déclaratif sous-entendu) que Corneille amende en 1660 : « Moi de dire soudain que sa bonne fortune… »
3. « Refuser honnêtement » (Furetière).
4. Ai-je dit (au présent : ce dit-il ; ce dit-on…). Vaugelas réserve ce tour à la langue orale, « mais on ne le doit point dire en écrivant que dans le style bas. Il suffit de dit-il, dit-on, sans ce, et c'est ainsi qu'il s'en faut servir par parenthèse, quand on introduit quelqu'un qui parle ». Docile, Corneille corrige le vers en 1660.
5. Voir le v. 157 et la note.

LYSE

J'ai bien fait encor pire :
J'ai dit que c'est pour vous que ce captif soupire [1],
1115 Que vous l'aimiez de même et fuiriez avec nous.
Ce mot me l'a rendu si traitable [2] et si doux
Que j'ai bien reconnu qu'un peu de jalousie
Touchant votre Clindor brouillait sa fantaisie [3],
Et que tous ces délais provenaient seulement
1120 D'une vaine frayeur qu'il ne fût mon amant *.
Il est parti soudain après votre amour sue [4],
A trouvé tout aisé, m'en a promis l'issue [5],
Qu[6]'il allait y pourvoir et que vers la minuit
Vous fussiez toute prête à déloger sans bruit.

ISABELLE

1125 Que tu me rends heureuse !

LYSE

Ajoutez-y, de grâce,
Qu'accepter un mari pour qui je suis de glace,
C'est me sacrifier à vos contentements.

ISABELLE

Aussi…

LYSE

Je ne veux point de vos remerciements.
Allez ployer [7] bagage, et n'épargnez en somme

---

1. Var. (1660) :
« J'ai bien fait davantage :
J'ai dit qu'à vos beautés ce captif rend hommage. »
2. Accommodant.
3. Imagination.
4. Après avoir su votre amour. Sur cet emploi du participe, voir le v. 1079 et la note.
5. Succès.
6. Dépend, comme *issue*, du verbe *promettre*. Sur cette double construction, voir le v. 1209 et la note.
7. Plier.

1130 Ni votre cabinet ni celui du bonhomme[1].
Je vous vends ses trésors, mais à fort bon marché :
J'ai dérobé ses clefs depuis qu'il est couché ;
Je vous les livre.

ISABELLE

Allons faire le coup ensemble[2].

LYSE

Passez-vous de mon aide.

ISABELLE

Eh quoi ! le cœur te tremble ?

LYSE

1135 Non, mais c'est un secret tout propre à l'éveiller :
Nous ne nous garderions jamais de babiller.

ISABELLE

Folle, tu ris toujours !

LYSE

De peur d'une surprise,
Je dois attendre ici le chef de l'entreprise :
S'il tardait[3] à la rue, il serait reconnu.
1140 Nous vous irons trouver dès qu'il sera venu.
C'est là sans raillerie.

ISABELLE

Adieu donc, je te laisse,
Et consens que tu sois aujourd'hui la maîtresse.

---

1. « Vieillard, homme avancé en âge » (Dictionnaire de l'Académie).
Var. (1660) :
« Allez ployer bagage et pour grossir la somme,
Joignez à vos bijoux les écus du bonhomme. »
2. Var. (1660) : « Allons y travailler ensemble. »
3. Rester longtemps. Sens fréquent chez Corneille.

LYSE

C'est du moins[1].

ISABELLE

Fais bon guet.

LYSE

Vous, faites bon butin.

Scène III

LYSE

Ainsi, Clindor, je fais moi seule ton destin :
1145 Des fers où je t'ai mis, c'est moi qui te délivre,
Et te puis, à mon choix, faire mourir ou vivre.
On me vengeait de toi par-delà mes désirs ;
Je n'avais de dessein que contre tes plaisirs ;
Ton sort trop rigoureux m'a fait changer d'envie ;
1150 Je te veux assurer tes plaisirs et ta vie,
Et mon amour éteint, te voyant en danger,
Renaît pour m'avertir que c'est trop me venger.
J'espère aussi, Clindor, que pour reconnaissance,
Tu réduiras[2] pour moi tes vœux dans l'innocence[3] ;
1155 Qu'un mari me tenant en sa possession,
Sa présence vaincra ta folle passion ;
Ou que, si cette ardeur encore te possède,
Ma maîtresse avertie y mettra bon remède.

1. C'est la moindre des choses.
2. Se construit indifféremment, semble-t-il, avec *à, en*, et *dans*.
Cf. à propos de la comédie du *Menteur*, dans l'*Examen* : « J'ai tâché de la réduire à notre usage et dans nos règles. »
3. Var. (1660) : « De ton ingrat amour étouffant la licence... »
Dans l'édition de 1660, ce vers est le dernier de la scène.

Scène IV

MATAMORE, ISABELLE, LYSE

ISABELLE

Quoi ! chez nous et de nuit !

MATAMORE

L'autre jour…

ISABELLE

Qu'est ceci,

0 L'autre jour ? Est-il temps que je vous trouve ici ?

LYSE

C'est ce grand capitaine ? Où s'est-il laissé prendre ?

ISABELLE

En montant l'escalier, je l'en ai vu descendre.

MATAMORE

L'autre jour, au défaut de mon affection,
J'assurai vos appas * de ma protection.

ISABELLE

5 Après ?

MATAMORE

On vint ici faire une brouillerie [1] ;
Vous rentrâtes, voyant cette forfanterie [2],
Et pour vous protéger je vous suivis soudain.

---

1. Trouble, agitation. Cf. Bossuet, *Discours sur l'histoire universelle* : « Ce prince, attiré par les brouilleries du royaume d'Israël, venait l'envahir » (I, 6).
2. « Acte de violence » (Littré). En un deuxième sens, *forfanterie* désigne le caractère et les agissements du *forfante*, mi-fanfaron, mi-escroc. Il est à noter que ce sens est le seul retenu par Furetière qui donne comme exemple la pratique du théâtre populaire : « Les comédiens italiens font mille forfanteries sur le théâtre. » On appréciera l'ambivalence du mot, hésitant entre le fait d'armes et le numéro du bateleur, dans la bouche de Matamore.

ISABELLE

Votre valeur prit lors un généreux [1] dessein.
Depuis ?

MATAMORE

Pour conserver [2] une Dame si belle,
1170 Au plus haut du logis j'ai fait la sentinelle.

ISABELLE

Sans sortir ?

MATAMORE

Sans sortir.

LYSE

C'est-à-dire, en deux mots,
Qu'il s'est caché de peur dans la chambre aux fagots.

MATAMORE

De peur ?

LYSE

Oui, vous tremblez, la vôtre est sans égale.

MATAMORE

Parce qu'elle a bon pas, j'en fais mon Bucéphale [3].
1175 Lorsque je la domptai, je lui fis cette loi,
Et depuis, quand je marche, elle tremble sous moi.

LYSE

Votre caprice est rare à choisir des montures.

MATAMORE

C'est pour aller plus vite aux grandes aventures.

---

1. Noble. Voir le v. 944 et la note.
2. Protéger.
3. Nom du cheval d'Alexandre le Grand. Il avait peur de son ombre. Alexandre sut le dompter en le faisant galoper contre le soleil.

ISABELLE

Vous en exploitez [1] bien, mais changeons de discours :
80 Vous avez demeuré là-dedans quatre jours ?

MATAMORE

Quatre jours.

ISABELLE

Et vécu ?

MATAMORE

De nectar, d'ambroisie [2].

LYSE

Je crois que cette viande [3] aisément rassasie.

MATAMORE

Aucunement [4].

ISABELLE

Enfin vous étiez descendu…

MATAMORE

Pour faire qu'un amant * en vos bras fût rendu,
85 Pour rompre sa prison, en fracasser les portes,
Et briser en morceaux ses chaînes les plus fortes.

LYSE

Avouez franchement que, pressé de la faim,
Vous veniez bien plutôt faire la guerre au pain.

---

1. Faire usage.
2. Le nectar et l'ambroisie composaient la subsistance des dieux de l'Olympe.
3. Nourriture, au sens large (latin *vivenda* ; cf. *vivres* en français moderne).
4. Sens positif, en quelque manière.

MATAMORE

L'un et l'autre, parbleu [1] ! Cette ambroisie est fade ;
1190 J'en eus au bout d'un jour l'estomac tout malade ;
C'est un mets délicat et de peu de soutien :
À moins que d'être un Dieu, l'on n'en vivrait pas bien.
Il cause mille maux, et dès l'heure qu'il entre,
Il allonge les dents et rétrécit le ventre.

LYSE

1195 Enfin, c'est un ragoût [2] qui ne vous plaisait pas ?

MATAMORE

Quitte pour, chaque nuit, faire deux tours en bas,
Et là, m'accommodant des reliefs de cuisine,
Mêler la viande humaine avecque la divine.

ISABELLE

Vous aviez, après tout, dessein de nous voler !

MATAMORE

1200 Vous-mêmes après tout m'osez-vous quereller ?
Si je laisse une fois [3] échapper ma colère...

ISABELLE

Lyse, fais-moi sortir les valets de mon père.

MATAMORE

Un sot les attendrait.

Scène V

ISABELLE, LYSE

LYSE

Vous ne le tenez pas.

---

1. Voir le v. 711 et la note.
2. « Mets apprêté pour exciter l'appétit » (Dictionnaire de l'Académie).
3. Une bonne fois.

ISABELLE

Il nous avait bien dit que la peur a bon pas.

LYSE

1105 Vous n'avez cependant rien fait, ou peu de chose ?

ISABELLE

Rien du tout : que veux-tu, sa rencontre en est cause.

LYSE

Mais vous n'aviez alors qu'à le laisser aller.

ISABELLE

Mais il m'a reconnue et m'est venu parler.
Moi qui seule, et de nuit, craignais[1] son insolence,
1110 Et beaucoup plus encor de troubler le silence,
J'ai cru, pour m'en défaire et m'ôter de souci,
Que le meilleur était de l'amener ici.
Vois, quand j'ai ton secours, que[2] je me tiens vaillante,
Puisque j'ose affronter cette humeur violente !

LYSE

1115 J'en ai ri comme vous, mais non sans murmurer :
C'est bien du temps perdu.

ISABELLE

Je le vais réparer.

---

1. Nous avons déjà rencontré des exemples de la double construction d'un verbe (v. 1090 ; 1123). *Craindre* admet ici pour objets un nom et un infinitif, tous deux sur le même plan. Malgré les réticences de Malherbe, au début du XVIIe siècle, les grammairiens hésitent à condamner ces constructions dissymétriques qui enchaînent substantifs, infinitifs et complétives. Au fil du siècle, la syntaxe tendra vers plus de régularité. Corneille toutefois donne encore maint exemple de ces tournures.
2. Comme.

LYSE

Voici le conducteur de notre intelligence [1].
Sachez auparavant toute sa diligence [2].

Scène VI

ISABELLE, LYSE, LE GEÔLIER

ISABELLE

Eh bien, mon grand ami, braverons-nous le sort,
1220 Et viens-tu m'apporter ou la vie, ou la mort ?
Ce n'est plus qu'en toi seul que mon espoir se fonde.

LE GEÔLIER

Madame, grâce aux Dieux, tout va le mieux du monde :
Il ne faut que partir, j'ai des chevaux tout prêts.
Et vous pourrez bientôt vous moquer des arrêts [3].

ISABELLE

1225 Ah ! que tu me ravis ! et quel digne salaire
Pourrai-je présenter à mon dieu tutélaire ?

LE GEÔLIER

Voici la récompense où [4] mon désir prétend.

ISABELLE

Lyse, il faut se résoudre à le rendre content * [5].

---

1. Entente secrète. « Se dit aussi en mauvaise part d'une cabale secrète, d'une collusion de parties qui tend à nuire à autrui » (Furetière).
2. Zèle.
3. Jugement.
4. À laquelle. Sur cet emploi de *où*, voir le v. 905 et la note.
5. Var. (1660) :

ISABELLE
« Je te dois regarder comme un dieu tutélaire
Et ne sais point pour toi d'assez digne salaire.
LE GEÔLIER
Voici le prix unique où tout mon cœur prétend.
ISABELLE
Lyse, il faut te résoudre à le rendre content. »

LYSE

Oui, mais tout son apprêt nous est fort inutile :
30 Comment ouvrirons-nous les portes de la ville ?

LE GEÔLIER

On nous tient des chevaux en main sûre aux faubourgs[1],
Et je sais un vieux mur qui tombe tous les jours :
Nous pourrons aisément sortir par ces ruines.

ISABELLE

Ah ! que je me trouvais sur d'étranges épines !

LE GEÔLIER

35 Mais il faut se hâter.

ISABELLE

Nous partirons soudain.
Viens nous aider là-haut à faire notre main[2].

Scène VII

CLINDOR, *en prison.*

Aimables souvenirs de mes chères délices
Qu'on va bientôt changer en d'infâmes supplices,
Que, malgré les horreurs de ce mortel effroi,
40 Vous avez de douceurs et de charmes* pour moi !
Ne m'abandonnez point, soyez-moi plus fidèles
Que les rigueurs du sort ne se montrent cruelles ;
Et, lorsque du trépas les plus noires couleurs
Viendront à mon esprit figurer mes malheurs,
45 Figurez aussitôt à mon âme interdite[3]

---

1. « La partie d'une ville qui est au-delà de ses portes et de son enceinte » (Furetière).
2. « Faire un gain, un profit injuste dans quelque emploi » (Furetière).
3. Qui témoigne d'un grand trouble. Cf. Racine, *Iphigénie* :
   « Je ne m'étonne plus qu'interdit et distrait
   Votre père ait paru nous revoir à regret » (II, 4).

Combien je fus heureux par-delà mon mérite ;
Lorsque je me plaindrai de leur sévérité,
Redites-moi l'excès de ma témérité,
Que[1] d'un si haut dessein ma fortune* incapable
1250 Rendait ma flamme* injuste et mon espoir coupable,
Que je fus criminel quand je devins amant*,
Et que ma mort en est le juste châtiment.
Quel bonheur m'accompagne à la fin de ma vie !
Isabelle, je meurs pour vous avoir servie*,
1255 Et, de quelque tranchant[2] que je souffre les coups,
Je meurs trop glorieux, puisque je meurs pour vous !
Hélas ! que je me flatte, et que j'ai d'artifice
Pour déguiser la honte et l'horreur d'un supplice !
Il faut mourir enfin, et quitter ces beaux yeux[3]
1260 Dont le fatal* amour me rend si glorieux :
L'ombre d'un meurtrier cause encor ma ruine ;
Il succomba vivant et, mort, il m'assassine ;
Son nom fait contre moi ce que n'a pu son bras ;
Mille assassins nouveaux naissent de son trépas,
1265 Et je vois de son sang fécond en perfidies
S'élever contre moi des âmes plus hardies,
De qui les passions s'armant d'autorité
Font un meurtre public avec impunité !
Demain, de mon courage, ils doivent faire un crime ;
1270 Donner au déloyal ma tête pour victime,
Et tous pour le pays prennent tant d'intérêt[4],
Qu'il ne m'est pas permis de douter de l'arrêt.
Ainsi de tous côtés ma perte était certaine[5] :
J'ai repoussé la mort, je la reçois pour peine ;
1275 D'un péril évité je tombe en un nouveau,
Et des mains d'un rival en celles d'un bourreau.

---

1. Dépend de *redire*. Sur cette construction, voir le v. 1209 et la note.
2. Celui de la hache.
3. Var. (1660) :
« À me dissimuler la honte d'un supplice !
En est-il de plus grand que de quitter ces yeux… »
4. Parti.
5. Les vers 1265-1273 reprennent très exactement, à l'image du sang près, les plaintes d'Isabelle (IV, 1).

Je frémis au penser[1] de ma triste aventure ;
Dans le sein du repos je suis à la torture ;
Au milieu de la nuit et du temps du sommeil
0 Je vois de mon trépas le honteux appareil ;
J'en ai devant les yeux les funestes* ministres[2] ;
On me lit du sénat[3] les mandements sinistres ;
Je sors les fers aux pieds, j'entends déjà le bruit
De l'amas insolent d'un peuple qui me suit ;
5 Je vois le lieu fatal* où ma mort se prépare ;
Là, mon esprit se trouble et ma raison s'égare ;
Je ne découvre rien[4] propre à me secourir,
Et la peur de la mort me fait déjà mourir !
Isabelle, toi seule, en réveillant ma flamme*,
0 Dissipes ces terreurs et rassures mon âme !
Aussitôt que je pense à tes divins attraits,
Je vois évanouir[5] ces infâmes portraits ;
Quelques[6] rudes assauts que le malheur me livre,
Garde mon souvenir, et je croirai revivre.
5 Mais d'où vient que[7] de nuit on ouvre ma prison ?
Ami, que viens-tu faire ici hors de saison ?

---

1. Voir le v. 246 et la note.
2. « Celui dont on se sert pour l'exécution de quelque chose » (Littré) ; *minister* en latin désigne un serviteur.
3. « Est aussi un titre d'honneur que les avocats donnent quelquefois aux compagnies souveraines » (Furetière) ; c'est-à-dire ici le tribunal.
4. L'emploi du pronom *rien* immédiatement suivi d'un adjectif ou d'un adverbe est encore fréquent au XVIIe siècle. Corneille corrige le vers en 1660 : « Je ne découvre rien qui m'ose secourir. »
5. S'évanouir. Le pronom complément d'objet des verbes réfléchis est encore souvent omis au XVIIe siècle. Même remarque pour *évader*, v. 1328.
6. L'édition originale donne la leçon *quelque*, mais la plupart des éditeurs corrigent, conformément à l'usage du XVIIe siècle qui perçoit *quelque* dans cet emploi comme un adjectif (soumis aux règles d'accord), et non comme un adverbe.
7. Pourquoi.

Scène VIII

CLINDOR, LE GEÔLIER

LE GEÔLIER

Les juges assemblés pour punir votre audace,
Mus de compassion, enfin vous ont fait grâce.

CLINDOR

M'ont fait grâce, bons Dieux !

LE GEÔLIER

Oui, vous mourrez de nuit.

CLINDOR

1300 De leur compassion est-ce là tout le fruit ?

LE GEÔLIER

Que de cette faveur vous tenez peu de compte !
D'un supplice public c'est vous sauver la honte.

CLINDOR

Quels encens puis-je offrir aux maîtres de mon sort,
Dont l'arrêt me fait grâce et m'envoie à la mort ?

LE GEÔLIER

1305 Il la faut recevoir avec meilleur visage.

CLINDOR

Fais ton office, ami, sans causer davantage.

LE GEÔLIER

Une troupe d'archers [1] là dehors vous attend ;
Peut-être en les voyant serez-vous plus content *.

---

1. « Se dit aujourd'hui de ces gens qui sont armés d'épées, de hallebardes, d'armes à feu, soit pour prendre les voleurs, soit pour garder les villes, soit pour exécuter quelque ordre de police ou de justice » (Dictionnaire de l'Académie).

Scène IX

CLINDOR, ISABELLE, LYSE, LE GEÔLIER

ISABELLE

Lyse, nous l'allons voir !

LYSE

Que vous êtes ravie !

ISABELLE

10 Ne le serais-je point de recevoir la vie ?
Son destin et le mien prennent un même cours,
Et je mourrais du coup qui trancherait ses jours.

LE GEÔLIER

Monsieur, connaissez-vous beaucoup d'archers semblables ?

CLINDOR

Ma chère âme, est-ce vous ? surprises adorables !
15 Trompeur trop obligeant, tu disais bien vraiment
Que je mourrais de nuit, mais de contentement !

ISABELLE

Mon heur * [1] !

LE GEÔLIER

Ne perdons point le temps à ces caresses ;
Nous aurons tout loisir de baiser [2] nos maîtresses *.

CLINDOR

Quoi ! Lyse est donc la sienne !

---

1. Sur ce type d'expression, voir le v. 901 et la note. Var. (1660) : « Clindor ! »
2. Embrasser.

ISABELLE

Écoutez le discours[1]

1320 De votre liberté qu'ont produit leurs amours.

LE GEÔLIER

En lieu de sûreté le babil est de mise,
Mais ici, ne songeons qu'à nous ôter de prise[2].

ISABELLE

Sauvons-nous. Mais avant, promettez-nous tous deux
Jusqu'au jour d'un hymen * de modérer vos feux *.
1325 Autrement, nous rentrons.

CLINDOR

Que cela ne vous tienne :
Je vous donne ma foi *.

LE GEÔLIER

Lyse, reçois la mienne.

ISABELLE

Sur un gage si bon, j'ose tout hasarder *.

LE GEÔLIER

Nous nous amusons trop, hâtons-nous d'évader[3].

Scène X

ALCANDRE, PRIDAMANT

ALCANDRE

Ne craignez plus pour eux ni périls ni disgrâces[4].
1330 Beaucoup les poursuivront, mais sans trouver leurs traces.

---

1. Voir le v. 63 et la note.
2. Nous mettre à l'abri d'une arrestation.
3. S'évader. Voir le v. 1292 et la note.
4. Voir le v. 402 et la note.

PRIDAMANT

À la fin je respire.

ALCANDRE

Après un tel bonheur,
Deux ans les ont montés en haut degré d'honneur *.
Je ne vous dirai point le cours de leurs voyages,
S'ils ont trouvé le calme ou vaincu les orages,
35 Ni par quel art * [1] non plus ils se sont élevés ;
Il suffit d'avoir vu comme ils se sont sauvés,
Et que, sans vous en faire une histoire importune,
Je vous les vais montrer en leur haute fortune *.
Mais, puisqu'il faut passer à des effets plus beaux,
40 Rentrons pour évoquer des fantômes nouveaux ;
Ceux que vous avez vus représenter de suite
À vos yeux étonnés * leurs amours et leur fuite,
N'étant pas destinés aux hautes fonctions,
N'ont point assez d'éclat pour leurs conditions *.

---

1. Nouvel exemple de la construction dissymétrique d'un verbe (« Je ne vous dirai point le cours..., s'ils..., ni par quel art... ») ; de même plus bas, v. 1336-7, « il suffit d'avoir vu..., et que... ». Voir le v. 1209 et la note.

ACTE V

Scène première

ALCANDRE, PRIDAMANT

PRIDAMANT

1345 Qu'Isabelle est changée et qu'elle est éclatante !

ALCANDRE

Lyse marche après elle et lui sert de suivante.
Mais, derechef[1], surtout n'ayez aucun effroi,
Et de ce lieu fatal* ne sortez qu'après moi :
Je vous le dis encore, il y va de la vie.

PRIDAMANT

1350 Cette condition m'en ôtera l'envie.

Scène II

ISABELLE, LYSE[2]

LYSE

Ce divertissement n'aura-t-il point de fin,
Et voulez-vous passer la nuit dans ce jardin ?

ISABELLE

Je ne puis plus cacher le sujet qui m'amène ;

1. Encore une fois. Cf. Molière, *L'École des femmes* : « Derechef, veuillez être discret » (I, 6).
2. Var. (1644) : « Isabelle représentant Hippolyte, Lyse représentant Clarine. »

C'est grossir mes douleurs que de taire ma peine :
5 Le Prince Florilame…

LYSE

Eh bien, il est absent !

ISABELLE

C'est la source des maux que mon âme ressent.
Nous sommes ses voisins, et l'amour qu'il nous porte
Dedans son grand jardin nous permet cette porte :
La princesse Rosine et mon perfide époux,
0 Durant qu'il est absent, en font leur rendez-vous.
Je l'attends au passage, et lui ferai connaître
Que je ne suis pas femme à rien souffrir d'un traître.

LYSE

Madame, croyez-moi, loin de le quereller,
Vous feriez beaucoup mieux de tout dissimuler.
5 Ce n'est pas bien à nous d'avoir des jalousies :
Un homme en court plutôt après ses fantaisies ;
Il est toujours le maître, et tout votre discours,
Par un contraire effet, l'obstine[1] en ses amours.

ISABELLE

Je dissimulerai son adultère flamme * !
0 Un autre[2] aura son cœur, et moi le nom de femme !
Sans crime d'un hymen * peut-il rompre la loi ?
Et ne rougit-il point d'avoir si peu de foi * ?

LYSE

Cela fut bon jadis, mais au temps où nous sommes,
Ni l'hymen * ni la foi * n'obligent plus les hommes.

---

1. Encourager quelqu'un à persévérer. Cf. *Le Menteur* :
« Si tu sais ton métier, dis-moi quelle espérance
Doit obstiner mon maître à la persévérance » (IV, 7).

2. S'emploie au XVIIe siècle pour parler d'un homme ou d'une femme. Cf. Madame de Sévigné : « Je suis bien plus propre qu'un autre à sentir vos peines » (Lettre à Guitaut du 5 avril 1680). Corneille corrige ce vers dès l'édition de 1644 : « Une autre… »

1375 Madame, leur honneur* a des règles à part :
Où le vôtre se perd, le leur est sans hasard*,
Et la même action, entre eux et nous commune,
Est pour nous déshonneur, pour eux bonne fortune*.
La chasteté n'est plus la vertu* d'un mari ;
1380 La princesse du vôtre a fait son favori ;
Sa réputation croîtra par ses caresses ;
L'honneur* d'un galant homme est d'avoir des maîtresses*[1].

ISABELLE

Ôte-moi cet honneur* et cette vanité
De se mettre en crédit par l'infidélité.
1385 Si, pour haïr le change et vivre sans amie,
Un homme comme lui tombe dans l'infamie,
Je le tiens glorieux d'être infâme à ce prix ;
S'il en est méprisé, j'estime ce mépris :
Le blâme qu'on reçoit d'aimer trop une femme
1390 Aux maris vertueux est un illustre blâme.

LYSE

Madame, il vient d'entrer : la porte a fait du bruit.

ISABELLE

Retirons-nous, qu'il passe.

LYSE

Il vous voit, et vous suit.

---

1. Dans l'édition de 1660, les vers 1375-1381 sont remplacés par les suivants :
« Leur gloire a son brillant et ses règles à part,
Où la nôtre se perd, la leur est sans hasard,
Elle croît aux dépens de nos lâches faiblesses… »

Scène III

CLINDOR, ISABELLE, LYSE[1]

CLINDOR

Vous fuyez, ma princesse, et cherchez des remises[2] !
Sont-ce là les faveurs que vous m'aviez promises ?
Où sont tant de baisers dont votre affection
Devait être prodigue à ma réception ?
Voici l'heure et le lieu, l'occasion est belle :
Je suis seul, vous n'avez que cette damoiselle
Dont la dextérité[3] ménagea nos amours ;
Le temps est précieux, et vous fuyez toujours !
Vous voulez, je m'assure, avec ces artifices,
Que les difficultés augmentent nos délices.
À la fin, je vous tiens ! Quoi ! vous me repoussez !
Que craignez-vous encor ? Mauvaise, c'est assez[4] :
Florilame est absent, ma jalouse endormie.

ISABELLE

En êtes-vous bien sûr ?

CLINDOR

Ah ! fortune* ennemie !

ISABELLE

Je veille, déloyal, ne crois plus m'aveugler ;
Au milieu de la nuit, je ne vois que trop clair :
Je vois tous mes soupçons passer en certitudes,
Et ne puis plus douter de tes ingratitudes.
Toi-même par ta bouche as trahi ton secret.

---

1. Var. (1644) : « Clindor représentant Théagène, Isabelle représentant Hippolyte, Lyse représentant Clarine. »
2. Délai.
3. Habileté.
4. Dans l'édition de 1660, les vers 1394-1404 sont remplacés par les suivants :
« Sont-ce là les douceurs que vous m'aviez promises ?
Est-ce ainsi que l'amour ménage un entretien ?
Ne fuyez plus, Madame, et n'appréhendez rien... »

Ô l'esprit avisé pour un amant* discret !
Et que c'est en amour une haute prudence*,
D'en faire avec sa femme entière confidence !
1415 Où sont tant de serments de n'aimer rien que moi ?
Qu'as-tu fait de ton cœur ? Qu'as-tu fait de ta foi* ?
Lorsque je la reçus, ingrat, qu'il te souvienne
De combien différaient ta fortune* et la mienne,
De combien de rivaux je dédaignai les vœux,
1420 Ce qu'un simple soldat pouvait être auprès d'eux,
Quelle tendre amitié je recevais d'un père :
Je l'ai quitté pourtant, pour suivre ta misère,
Et je tendis les bras [1] à mon enlèvement,
Ne pouvant être à toi de son consentement.
1425 En quelle extrémité depuis ne m'ont réduite
Les hasards* dont le sort a traversé [2] ta fuite,
Et que n'ai-je souffert avant que le bonheur
Élevât ta bassesse [3] à ce haut rang d'honneur* !
Si pour te voir heureux ta foi* s'est relâchée,
1430 Rends-moi dedans le sein dont tu m'as arrachée :
Je t'aime, et mon amour m'a fait tout hasarder* [4],
Non pas pour tes grandeurs, mais pour te posséder.

CLINDOR

Ne me reproche plus ta fuite ni ta flamme* :
Que ne fait point l'amour quand il possède une âme ?
1435 Son pouvoir à ma vue attachait tes plaisirs,
Et tu me suivais moins que tes propres désirs.
J'étais lors peu de chose, oui, mais qu'il te souvienne
Que ta fuite égala ta fortune* à la mienne
Et que, pour t'enlever, c'était un faible appas*
1440 Que l'éclat de tes biens qui ne te suivaient pas !
Je n'eus, de mon côté, que l'épée en partage,

---

1. « Il lui a tendu les bras pour dire : il lui a facilité les moyens de faire ce qu'il désirait » (Furetière).
2. Faire obstacle à.
3. Rang inférieur. Le mot n'a pas ici de sens moral.
4. Var. (1660) :
« Remets-moi dans le sein dont tu m'as arrachée.
L'amour que j'ai pour toi m'a tout fait hasarder. »

Et ta flamme*, du tien, fut mon seul avantage :
Celle-là m'a fait grand en ces bords étrangers ;
L'autre exposa ma tête en cent et cent dangers !
45 Regrette maintenant ton père et ses richesses !
Fâche-toi de marcher à côté des princesses !
Retourne en ton pays, avecque [1] tous tes biens,
Chercher un rang pareil à celui que tu tiens !
Qui [2] te manque, après tout ? de quoi peux-tu te plaindre [3] ?
50 En quelle occasion m'as-tu vu te contraindre ?
As-tu reçu de moi ni froideurs, ni mépris ?
Les femmes, à vrai dire, ont d'étranges esprits :
Qu'un mari les adore, et qu'une amour extrême
À leur bigearre [4] humeur se soumette lui-même,
55 Qu'il les comble d'honneurs* et de bons traitements,
Qu'il ne refuse rien à leurs contentements,
Fait-il la moindre brèche à la foi* conjugale,
Il n'est point à leur gré de crime qui l'égale :
C'est vol, c'est perfidie, assassinat, poison,
60 C'est massacrer son père et brûler sa maison,
Et jadis des Titans l'effroyable supplice
Tomba sur Encelade [5] avec moins de justice.

---

1. Voir le v. 127 et la note.
2. Le pronom interrogatif peut encore, au XVIIe siècle, se rapporter à des noms de chose.
3. Var. (1660) :
   « Retourne en ton pays, chercher avec tes biens,
   L'honneur d'un rang pareil à celui que tu tiens !
   De quel manque après tout as-tu lieu de te plaindre ? »
4. Bizarre. « Bigearre, bizarre. Tous deux sont bons, mais bizarre est tout à fait de la cour, en quelque sens qu'on le prenne. Aussi la prononciation de bizarre, avec un z, est beaucoup plus douce et plus agréable que celle de bigearre, avec le gea » (Vaugelas). Corneille a beaucoup hésité sur la forme à retenir ; d'une édition à l'autre, le texte balance entre les deux graphies. Ce n'est qu'en 1663 qu'il optera définitivement pour la leçon *bizarre.*
5. Clindor (Corneille ?) commet une erreur de généalogie mythologique. Encelade appartient à la génération des Géants, et non des Titans, en révolte contre les dieux de l'Olympe. Ils furent tous massacrés à l'exception d'Encelade, enseveli sous l'Etna.

ISABELLE

Je te l'ai déjà dit, que toute ta grandeur
Ne fut jamais l'objet de ma sincère ardeur :
1465 Je ne suivais que toi quand je quittai mon père.
Mais puisque ces grandeurs t'ont fait l'âme légère,
Laisse mon intérêt, songe à qui tu les dois.
Florilame lui seul t'a mis où tu te vois :
À peine il te connut qu'il te tira de peine ;
1470 De soldat vagabond, il te fit capitaine,
Et le rare bonheur qui suivit cet emploi
Joignit à ses faveurs les faveurs de son roi ;
Quelle forte amitié n'a-t-il point fait paraître
À cultiver depuis ce qu'il avait fait naître !
1475 Par ses soins redoublés n'es-tu pas aujourd'hui
Un peu moindre de rang, mais plus puissant que lui ?
Il eût gagné par là l'esprit le plus farouche,
Et pour remerciement tu vas souiller sa couche ?
Dans ta brutalité trouve quelque raison,
1480 Et contre ses faveurs défends ta trahison.
Il t'a comblé de biens, tu lui voles son âme [1] ;
Il t'a fait grand seigneur, et tu le rends infâme.
Ingrat, c'est donc ainsi que tu rends les bienfaits,
Et ta reconnaissance a produit ces effets [2] !

CLINDOR

1485 Mon âme (car encor ce beau nom te demeure,
Et te demeurera jusqu'à tant que je meure),
Crois-tu qu'aucun respect ou crainte du trépas
Puisse obtenir sur moi ce que tu n'obtiens pas ?
Dis que je suis ingrat, appelle-moi parjure,
1490 Mais à nos feux * sacrés ne fais plus tant d'injure :
Ils conservent encor leur première vigueur.
Je t'aime, et si l'amour qui m'a surpris le cœur
Avait pu s'étouffer au point de sa naissance,
Celui que je te porte eût eu cette puissance.
1495 Mais en vain contre lui l'on tâche à résister :

1. Personne aimée ; *idem* v. 1485 et 1509.
2. Voir le v. 289 et la note.

Toi-même as éprouvé qu'on ne le peut dompter.
Ce Dieu qui te força d'abandonner ton père,
Ton pays et tes biens, pour suivre ma misère,
Ce Dieu même à présent malgré moi m'a réduit
0 À te faire un larcin des plaisirs d'une nuit.
À mes sens déréglés souffre cette licence.
Une pareille amour meurt dans la jouissance [1] ;
Celle dont la vertu * n'est point le fondement [2]
Se détruit de soi-même et passe en un moment ;
5 Mais celle qui nous joint est un amour solide,
Où l'honneur * a son lustre [3], où la vertu * préside,
Dont les fermes liens durent jusqu'au trépas,
Et dont la jouissance a de nouveaux appas *.
Mon âme, derechef [4] pardonne à la surprise
0 Que ce tyran des cœurs a faite à ma franchise [5] ;
Souffre une folle ardeur qui ne vivra qu'un jour,
Et n'affaiblit en rien un conjugal amour.

ISABELLE

Hélas ! que j'aide bien à m'abuser moi-même !
Je vois qu'on me trahit, et je crois que l'on m'aime ;
5 Je me laisse charmer * à ce discours flatteur,
Et j'excuse un forfait dont j'adore l'auteur !
Pardonne, cher époux, au peu de retenue
Où d'un premier transport la chaleur est venue :
C'est en ces accidents * manquer d'affection
0 Que de les voir sans trouble et sans émotion.

---

1. Dès qu'elle a obtenu satisfaction.
2. Corneille corrige ces vers, jugés un peu trop libres, dans l'édition de 1660 :
« Ce dieu même aujourd'hui force tous mes désirs
À te faire un larcin de deux ou trois soupirs.
À mon égarement souffre cette échappée,
Sans craindre que ta place en demeure usurpée.
L'amour dont la vertu n'est point le fondement... »
3. Éclat.
4. Voir le v. 1347 et la note.
5. Liberté. « En ce sens il n'a guère d'usage qu'en poésie, et en parlant d'amour » (Dictionnaire de l'Académie).

Puisque mon teint se fane et [1] ma beauté se passe,
Il est bien juste aussi que ton amour se lasse ;
Et même, je croirai que ce feu * passager
En l'amour conjugal ne pourra rien changer.
1525 Songe un peu toutefois à qui ce feu * s'adresse,
En quel péril te jette une telle maîtresse * ;
Dissimule, déguise et sois amant * discret.
Les grands en leur amour n'ont jamais de secret :
Ce grand train [2] qu'à leurs pas leur grandeur propre attache
1530 N'est qu'un grand corps tout d'yeux [3] à qui rien ne se cache,
Et dont il n'est pas un * qui ne fît [4] son effort *
À se mettre en faveur par un mauvais rapport.
Tôt ou tard Florilame apprendra tes pratiques
Ou de sa défiance ou de ses domestiques [5],
1535 Et lors (à ce penser [6] je frissonne d'horreur),
À quelle extrémité n'ira point sa fureur !
Puisque à ces passe-temps ton humeur te convie,
Cours après tes plaisirs, mais assure ta vie ;
Sans aucun sentiment je te verrai changer [7],
1540 Pourvu qu'à tout le moins tu changes sans danger.

---

1. Et que ma beauté… La répétition de la conjonction, ou son rappel par *que*, de règle en français moderne, ne s'impose qu'au cours du XVIIe siècle, sous la pression des grammairiens. Dans son *Examen sur le Cid*, l'Académie reprochera à Corneille cette négligence, désormais perçue comme une incorrection.
2. Suite de domestiques, de chevaux, de voitures qui accompagnent un grand personnage.
3. Tout couvert d'yeux. Allusion au bouvier Argos (Argus pour les Romains), chargé par Héra de surveiller Io dont Zeus était épris. Ses cent yeux lui permettaient une garde permanente, même pendant son sommeil.
4. Fasse. La concordance des temps n'était pas rigoureusement respectée au XVIIe siècle.
5. S'entend de toute personne de l'entourage, de la maison (*domus* en latin) d'un grand personnage, aussi bien parents que serviteurs.
6. Voir le v. 246 et la note.
7. Aller d'un amour à un autre.

CLINDOR

Encore une fois donc tu veux que je te die[1]
Qu'auprès de mon amour je méprise ma vie ?
Mon âme est trop atteinte, et mon cœur trop blessé,
Pour craindre les périls dont je suis menacé.
45 Ma passion m'aveugle et pour cette conquête
Croit hasarder* trop peu de hasarder* ma tête ;
C'est un feu* que le temps pourra seul modérer ;
C'est un torrent qui passe, et ne saurait durer.

ISABELLE

Eh bien, cours au trépas, puisqu'il a tant de charmes*
50 Et néglige ta vie aussi bien que mes larmes.
Penses-tu que ce Prince après un tel forfait
Par ta punition se tienne satisfait ?
Qui sera mon appui lorsque ta mort infâme
À sa juste vengeance exposera ta femme,
55 Et que sur la moitié d'un perfide étranger,
Une seconde fois il croira se venger ?
Non, je n'attendrai pas que ta perte certaine
Attire encor sur moi les restes de ta peine,
Et que, de mon honneur* gardé si chèrement,
60 Il fasse un sacrifice à son ressentiment.
Je préviendrai la honte où ton malheur me livre,
Et saurai bien mourir si tu ne veux pas vivre.
Ce corps, dont mon amour t'a fait le possesseur,
Ne craindra plus bientôt l'effort* d'un ravisseur ;
65 J'ai vécu pour t'aimer, mais non pour l'infamie
De servir au[2] mari de ton illustre amie.
Adieu, je vais du moins, en mourant devant[3] toi,
Diminuer ton crime et dégager ta foi*.

1. Vaillamment défendue par Vaugelas, la forme ancienne *die* (*dient* au pluriel), présent de l'indicatif et du subjonctif, s'efface au subjonctif devant son doublet *dise* (*disent* s'impose en outre à l'indicatif), au cours de la seconde moitié du XVIIe siècle. À la fin du siècle, *die* n'est plus guère usité qu'en poésie.
2. Obéir.
3. Avant. Corneille adopte *avant* dans l'édition de 1660.

CLINDOR

Ne meurs pas, chère épouse, et dans un second change
1570 Vois l'effet[1] merveilleux où ta vertu* me range.
M'aimer malgré mon crime, et vouloir par ta mort
Éviter le hasard* de quelque indigne effort* !
Je ne sais qui[2] je dois admirer davantage
Ou de ce grand amour, ou de ce grand courage :
1575 Tous les deux m'ont vaincu, je reviens sous tes lois,
Et ma brutale ardeur va rendre les abois[3].
C'en est fait, elle expire, et mon âme plus saine
Vient de rompre les nœuds de sa honteuse chaîne.
Mon cœur, quand il fut pris, s'était mal défendu.
1580 Perds-en le souvenir.

ISABELLE

Je l'ai déjà perdu.

CLINDOR

Que les plus beaux objets* qui soient dessus la terre
Conspirent désormais à lui faire la guerre,
Ce cœur, inexpugnable aux assauts de leurs yeux,
N'aura plus que les tiens pour maîtres et pour Dieux !
1585 Que leurs attraits unis…

LYSE

La princesse s'avance,
Madame.

CLINDOR

Cachez-vous, et nous faites[4] silence.
Écoute-nous, mon âme, et par notre entretien
Juge si son objet* m'est plus cher que le tien.

---

1. Voir le v. 289 et la note.
2. Voir le v. 1449 et la note.
3. Être à la dernière extrémité.
4. Et faites-nous. Lorsque deux impératifs sont coordonnés par *et*, *ou*, *mais*, le pronom personnel objet précède le second verbe (voir v. 220, 404). Cf. *Le Cid* : « Va, cours, vole, et nous venge » (I, 6).

Scène IV [1]

CLINDOR, ROSINE [2]

ROSINE

Débarrassée enfin d'une importune suite,
90 Je remets à l'amour le soin de ma conduite,
Et, pour trouver l'auteur de ma félicité,
Je prends un guide aveugle [3] en cette obscurité.
Mais que son épaisseur me dérobe la vue !
Le moyen de le voir, ou d'en être aperçue !
95 Voici la grande allée, il devrait être ici,
Et j'entrevois quelqu'un. Est-ce toi, mon souci [4] ?

CLINDOR

Madame, ôtez ce mot dont la feinte se joue,
Et que votre vertu * dans l'âme désavoue.
C'est assez déguisé, ne dissimulez plus
00 L'horreur que vous avez de mes feux * dissolus.
Vous avez voulu voir jusqu'à quelle insolence
D'une amour déréglée irait la violence ;
Vous l'avez vu, Madame, et c'est pour la punir
Que vos ressentiments vous font ici venir ;
05 Faites sortir vos gens destinés à ma perte,
N'épargnez point ma tête, elle vous est offerte ;
Je veux bien par ma mort apaiser vos beaux yeux,
Et ce n'est pas l'espoir qui m'amène en ces lieux.

ROSINE

Donc, au lieu d'un amour rempli d'impatience,
10 Je ne rencontre en toi que de la défiance ?
As-tu l'esprit troublé de quelque illusion [5] ?
Est-ce ainsi qu'un guerrier tremble à l'occasion [6] ?

---

1. Cette scène disparaît dans l'édition de 1660. Voir l'appendice.
2. Var. (1644-1657) : « Clindor représentant Théagène, Rosine. »
3. L'Amour était traditionnellement représenté les yeux bandés.
4. Sur ce type d'expression, voir le v. 901 et la note.
5. Fausse apparence.
6. Combat.

Je suis seule, et toi seul, d'où te vient cet ombrage[1] ?
Te faut-il de ma flamme* un plus grand témoignage ?
1615 Crois que je suis sans feinte à toi jusqu'à la mort.

CLINDOR

Je me garderai bien de vous faire ce tort ;
Une grande princesse a la vertu* plus chère.

ROSINE

Si tu m'aimes, mon cœur, quitte cette chimère[2].

CLINDOR

Ce n'en est point, Madame, et je crois voir en vous
1620 Plus de fidélité pour un si digne époux.

ROSINE

Je la quitte pour toi. Mais, Dieux ! que je m'abuse
De ne voir pas encor qu'un ingrat me refuse !
Son cœur n'est plus que glace, et mon aveugle ardeur
Impute à défiance un excès de froideur.
1625 Va, traître, va, parjure, après m'avoir séduite*,
Ce sont là des discours d'une mauvaise suite !
Alors que je me rends, de quoi me parles-tu,
Et qui[3] t'amène ici me prêcher la vertu* ?

CLINDOR

Mon respect, mon devoir et ma reconnaissance
1630 Dessus mes passions ont eu cette puissance.
Je vous aime, Madame, et mon fidèle amour[4]
Depuis qu'on l'a vu naître a crû de jour en jour ;
Mais que ne dois-je point au Prince Florilame !
C'est lui dont le respect triomphe de ma flamme*,
1635 Après que sa faveur m'a fait ce que je suis...

---

1. « Signifie figurément défiance, soupçon » (Furetière).
2. Vaine imagination.
3. Voir le v. 1449 et la note.
4. Ce vers n'est pas sans rappeler le v. 1431. Sur un thème donné, Clindor improvise des variations.

ROSINE

Tu t'en veux souvenir pour me combler d'ennuis *.
Quoi ! son respect peut plus que l'ardeur qui te brûle ?
L'incomparable ami, mais l'amant ridicule,
D'adorer une femme, et s'en voir si chéri,
Et craindre au rendez-vous d'offenser un mari !
Traître, il n'en est plus temps ! Quand tu me fis paraître
Cette excessive amour qui commençait à naître,
Et que le doux appas * d'un discours suborneur *
Avec un faux mérite attaqua mon honneur *,
C'est lors qu'il te fallait à ta flamme * infidèle
Opposer le respect d'une amitié si belle,
Et tu ne devais pas attendre à l'écouter
Quand [1] mon esprit charmé ne le pourrait goûter !
Tes raisons vers [2] tous deux sont de faibles défenses :
Tu l'offensas alors, aujourd'hui tu m'offenses ;
Tu m'aimais plus que lui, tu l'aimes plus que moi.
Crois-tu donc à mon cœur donner ainsi la loi,
Que [3] ma flamme * à ton gré s'éteigne ou s'entretienne,
Et que ma passion suive toujours la tienne ?
Non, non, usant si mal de ce qui t'est permis,
Loin d'en éviter un, tu fais deux ennemis.
Je sais trop les moyens d'une vengeance aisée :
Phèdre contre Hippolyte aveugla bien Thésée,
Et ma plainte armera [4] plus de sévérité
Avec moins d'injustice et plus de vérité.

CLINDOR

Je sais bien que j'ai tort, et qu'après mon audace,
Je vous fais un discours de fort mauvaise grâce,
Qu'il sied mal à ma bouche, et que ce grand respect
Agit un peu bien [5] tard pour n'être point suspect.

---

1. Le moment où.
2. Envers ; cf. v. 355.
3. Dépend de *croire*, une première fois construit avec un infinitif. Le texte de *L'Illusion comique* offre maint exemple de cette souplesse de la syntaxe. Voir le v. 1209 et la note.
4. S'armera de.
5. Beaucoup trop. Litote fréquente chez Corneille.

1665 Mais pour souffrir plutôt la raison dans mon âme,
Vous aviez trop d'appas*, et mon cœur trop de flamme* :
Elle n'a triomphé qu'après un long combat.

ROSINE

Tu crois donc triompher lorsque ton cœur s'abat ?
Si tu nommes victoire un manque de courage,
1670 Appelle encor service* un si cruel outrage,
Et puisque me trahir c'est suivre la raison,
Dis-moi que tu me sers* par cette trahison !

CLINDOR

Madame, est-ce vous rendre un si mauvais service
De sauver votre honneur* d'un mortel précipice ?
1675 Cet honneur* qu'une Dame a plus cher que les yeux !

ROSINE

Cesse de m'étourdir de ces noms odieux !
N'as-tu jamais appris que ces vaines chimères
Qui naissent aux cerveaux des maris et des mères,
Ces vieux contes d'honneur* n'ont point d'impressions [1]
1680 Qui puissent arrêter les fortes passions [2] ?
Perfide, est-ce de moi que tu le dois apprendre ?
Dieux ! jusques où l'amour ne me fait point descendre !
Je lui tiens des discours qu'il me devrait tenir,
Et toute mon ardeur ne peut rien obtenir !

CLINDOR

1685 Par l'effort* que je fais à mon amour extrême,
Madame, il faut apprendre à vous vaincre vous-même,
À faire violence à vos plus chers désirs,
Et préférer l'honneur* à d'injustes plaisirs,

---

1. Force suscitée par un mouvement donné.
2. Emprunt manifeste à Malherbe (1555-1628), auquel Corneille rend ainsi hommage. On lit en effet dans *La Victoire de la Constance* :
« Ces vieux contes d'honneur, invisibles chimères,
Qui naissent aux cerveaux des maris et des mères,
Étaient-ce impressions qui pussent aveugler
Un jugement si clair ? »

Dont au moindre soupçon, au moindre vent contraire,
La honte et les malheurs sont la suite ordinaire.

ROSINE

De tous ces accidents* rien ne peut m'alarmer*,
Je consens de périr à force de t'aimer.
Bien que notre commerce* aux yeux de tous se cache,
Qu'il vienne en évidence et qu'un mari le sache,
Que je demeure en butte à ses ressentiments,
Que sa fureur me livre à de nouveaux tourments,
J'en souffrirai plutôt l'infamie éternelle
Que de me repentir d'une flamme* si belle.

Scène V

CLINDOR, ROSINE, ISABELLE, LYSE, ÉRASTE,
TROUPE DE DOMESTIQUES[1]

ÉRASTE

Donnons[2], ils sont ensemble.

ISABELLE

Ô Dieux ! qu'ai-je entendu ?

LYSE

Madame, sauvons-nous !

PRIDAMANT

Hélas ! il est perdu !

CLINDOR

Madame, je suis mort, et votre amour fatale*
Par un indigne coup aux Enfers me dévale[3].

---

1. Var. (1644-1657) : « Clindor représentant Théagène, Rosine, Isabelle représentant Hippolyte, Lyse représentant Clarine… »
2. « Donner, absolument, c'est commencer le combat, aller à l'assaut » (Furetière).
3. Précipiter.

ROSINE
Je meurs, mais je me trouve heureuse en mon trépas
Que [1] du moins en mourant je vais suivre tes pas.

ÉRASTE
1705 Florilame est absent, mais durant son absence,
C'est là [2] comme les siens punissent qui l'offense ;
C'est lui qui par nos mains vous envoie à tous deux
Le juste châtiment de vos lubriques feux *.

ISABELLE
Réponds-moi, cher époux, au moins une parole !
1710 C'en est fait, il expire, et son âme s'envole !
Bourreaux, vous ne l'avez massacré qu'à demi !
Il vit encore en moi, soûlez [3] son ennemi !
Achevez, assassins, de m'arracher la vie :
Sa haine sans ma mort n'est pas bien assouvie.

ÉRASTE
1715 Madame, c'est donc vous !

ISABELLE
Oui, qui cours au trépas.

ÉRASTE
Votre heureuse rencontre épargne bien nos pas.
Après avoir défait le Prince Florilame
D'un ami déloyal et d'une ingrate femme,
Nous avions ordre exprès de vous aller chercher.

ISABELLE
1720 Que voulez-vous de moi, traîtres ?

---

1. Introduit le complément de l'adjectif *heureuse*. Le français moderne exigerait l'infinitif, dès lors que le verbe de la régissante et celui de la subordonnée ont même sujet.
2. Voilà.
3. Satisfaire jusqu'à l'excès. Corneille supprimera le plus souvent l'image dans les éditions tardives.

ÉRASTE

Il faut marcher.
Le Prince, dès longtemps amoureux de vos charmes *,
Dans un de ses châteaux veut essuyer vos larmes.

ISABELLE

Sacrifiez plutôt ma vie à son courroux.

ÉRASTE

C'est perdre temps, Madame, il veut parler à vous [1].

Scène VI

ALCANDRE, PRIDAMANT

ALCANDRE

25 Ainsi de notre espoir la fortune * se joue ;
Tout s'élève ou s'abaisse au branle [2] de sa roue,
Et son ordre inégal [3] qui régit l'univers
Au milieu du bonheur a ses plus grands revers.

PRIDAMANT

Cette réflexion mal propre pour un père
30 Consolerait peut-être une douleur légère.
Mais, après avoir vu mon fils assassiné,
Mes plaisirs foudroyés, mon espoir ruiné,
J'aurais d'un si grand coup l'âme bien peu blessée,
Si de pareils discours m'entraient dans la pensée.
35 Hélas ! dans sa misère il ne pouvait périr,
Et son bonheur fatal * lui seul l'a fait mourir !
N'attendez pas de moi des plaintes davantage :
La douleur qui se plaint cherche qu'on la soulage ;

1. À partir de l'édition de 1644, Corneille ajoute après le vers 1724 l'indication suivante : « Ici on rabaisse une toile qui couvre le jardin et le reste des acteurs, et le Magicien et le père sortent de la grotte. »
2. Mouvement. La Fortune est traditionnellement représentée sous les traits d'une femme qui pousse une roue.
3. Irrégulier.

La mienne court après son déplorable[1] sort.
1740 Adieu, je vais mourir, puisque mon fils est mort.

ALCANDRE

D'un juste désespoir l'effort * est légitime,
Et de le détourner je croirais faire un crime.
Oui, suivez ce cher fils sans attendre à demain,
Mais épargnez du moins ce coup à votre main :
1745 Laissez faire aux douleurs qui rongent vos entrailles,
Et, pour les redoubler, voyez ses funérailles.

On tire un rideau et on voit tous les comédiens qui partagent leur argent[2].

PRIDAMANT

Que vois-je ! chez les morts compte-t-on de l'argent ?

ALCANDRE

Voyez si pas un * d'eux s'y montre négligent !

PRIDAMANT

Je vois Clindor, Rosine. Ah ! Dieu ! quelle surprise !
1750 Je vois leur assassin, je vois sa femme et Lyse !
Quel charme * en un moment étouffe leurs discords[3]
Pour assembler ainsi les vivants et les morts ?

ALCANDRE

Ainsi, tous les acteurs d'une troupe comique,
Leur poème[4] récité, partagent leur pratique[5].
1755 L'un tue et l'autre meurt, l'autre vous fait pitié,
Mais la scène préside à leur inimitié ;
Leurs vers font leur combat, leur mort suit leurs paroles,

---

1. « Qui mérite d'être pleuré, qui attriste » (Furetière).
2. Une fois déduits les frais du spectacle, les comédiens se partageaient la recette après chaque représentation. Var. (1644) : « Ici on relève la toile, et tous les comédiens paraissent avec leur portier, qui comptent de l'argent sur une table et en prennent chacun leur part. »
3. Querelle.
4. Ne compte ici que pour deux syllabes.
5. Recette. Emploi très rare ; les dictionnaires l'ignorent.

Et sans prendre intérêt en[1] pas un* de leurs rôles,
Le traître et le trahi, le mort et le vivant
60 Se trouvent à la fin amis comme devant[2].
Votre fils et son train[3] ont bien su par leur fuite
D'un père et d'un prévôt[4] éviter la poursuite ;
Mais tombant dans les mains de la nécessité,
Ils ont pris le théâtre en cette extrémité.

PRIDAMANT

65 Mon fils comédien !

ALCANDRE

D'un art[5] si difficile
Tous les quatre au besoin[6] en[7] ont fait leur asile,
Et depuis sa prison ce que vous avez vu,
Son adultère amour, son trépas impourvu[8],
N'est que la triste fin d'une pièce tragique
70 Qu'il expose[9] aujourd'hui sur la scène publique,
Par où ses compagnons et lui, dans leur métier,
Ravissent dans Paris un peuple tout entier.
Le gain leur en demeure, et ce grand équipage[10]
Dont je vous ai fait voir le superbe étalage,
75 Est bien à votre fils, mais non pour s'en parer
Qu'alors que[11] sur la scène il se fait admirer.

---

1. Se passionner pour.
2. Avant.
3. Ses compagnons. Voir le v. 1529 et la note.
4. Officier de justice.
5. L'ambiguïté du mot, exploitée au v. 1334. est enfin levée (*art* signifie aussi habileté, artifice). Il s'agissait bien d'art dramatique, et non d'un quelconque moyen, plus ou moins licite, de parvenir.
6. Dans le besoin.
7. Fait redondance avec la préposition *de*. Ce tour est fréquent chez Corneille.
8. Imprévu.
9. Représenter.
10. Voir le v. 134 et la note.
11. Si ce n'est lorsque. Emploi elliptique de *que* signifiant l'exception.

PRIDAMANT

J'ai pris sa mort pour vraie, et ce n'était que feinte,
Mais je trouve partout mêmes sujets de plainte :
Est-ce là cette gloire et ce haut rang d'honneur *
1780 Où le devait monter l'excès de son bonheur ?

ALCANDRE

Cessez de vous en plaindre : à présent le théâtre
Est en un point si haut qu'un chacun l'idolâtre,
Et ce que votre temps voyait avec mépris
Est aujourd'hui l'amour de tous les bons esprits,
1785 L'entretien [1] de Paris, le souhait des provinces,
Le divertissement le plus doux de nos princes,
Les délices du peuple, et le plaisir des grands ;
Parmi leurs passe-temps il tient les premiers rangs,
Et ceux dont nous voyons la sagesse profonde
1790 Par ses illustres soins conserver [2] tout le monde
Trouvent dans les douceurs d'un spectacle si beau
De quoi se délasser d'un si pesant fardeau [3].
Même notre grand roi [4], ce foudre [5] de la guerre
Dont le nom se fait craindre aux deux bouts de la terre,
1795 Le front ceint de lauriers daigne bien quelquefois
Prêter l'œil et l'oreille au théâtre françois.
C'est là que le Parnasse [6] étale ses merveilles ;
Les plus rares esprits lui consacrent leurs veilles,
Et tous ceux qu'Apollon voit d'un meilleur [7] regard

---

1. Sujet de conversation.
2. Voir le v. 1169 et la note.
3. Allusion transparente à Richelieu, dont on connaît la passion pour le théâtre. *La Comédie des Tuileries* composée à son initiative par les Cinq Auteurs (dont le nôtre) venait d'être représentée. D'autres spectacles seront produits de la même façon, sans la participation de Corneille, semble-t-il. Rappelons que le cardinal sera le dédicataire d'*Horace* (1641).
4. Louis XIII.
5. Cf. v. 239 et la note.
6. Montagne de la Grèce (en Phocide) consacrée à Apollon et aux Muses. « Se prend figurément pour les poètes et la poésie. Corneille est le roi du Parnasse, le meilleur poète » (Furetière).
7. Du meilleur (valeur superlative).

0 De leurs doctes travaux lui donnent quelque part.
S'il faut par la richesse estimer les personnes [1],
Le théâtre est un fief dont les rentes sont bonnes,
Et votre fils rencontre en un métier si doux
Plus de biens et d'honneur* qu'il n'eût trouvé chez vous [2].
5 Défaites-vous enfin de cette erreur commune,
Et ne vous plaignez plus de sa bonne fortune*.

PRIDAMANT

Je n'ose plus m'en plaindre, on voit trop de combien
Le métier qu'il a pris est meilleur que le mien.
Il est vrai que d'abord mon âme s'est émue,
10 J'ai cru la comédie [3] au point où je l'ai vue,
J'en ignorais l'éclat, l'utilité, l'appas*,
Et la blâmais ainsi ne la connaissant pas,
Mais depuis vos discours mon cœur plein d'allégresse
A banni cette erreur avecque la tristesse,
15 Clindor a trop bien fait.

ALCANDRE

N'en croyez que vos yeux.

PRIDAMANT

Demain, pour ce sujet, j'abandonne ces lieux,
Je vole vers Paris. Cependant, grand Alcandre,
Quelles grâces ici ne vous dois-je point rendre !

ALCANDRE

Servir les gens d'honneur* est mon plus grand désir,
20 J'ai pris ma récompense en vous faisant plaisir.
Adieu, je suis content*, puisque je vous vois l'être.

1. Var. (1660) : « D'ailleurs, si par les biens on prise les personnes. »
2. Var. (1660) : « Plus d'accommodement qu'il n'eût trouvé chez vous. »
3. Théâtre. Cf. p. 31 et la note 1.

PRIDAMANT

Un si rare bienfait ne se peut reconnaître ;
Mais, grand Mage, du moins croyez qu'à l'avenir
Mon âme en gardera l'éternel souvenir.

EXAMEN

[1660-1682]

Je dirai peu de chose de cette pièce : c'est une galanterie [1] extravagante qui a tant d'irrégularités qu'elle ne vaut pas la peine de la considérer, bien que la nouveauté de ce caprice en ait rendu le succès assez favorable pour ne me repentir pas d'y avoir perdu quelque temps. Le premier acte ne semble qu'un prologue ; les trois suivants forment une pièce que je ne sais comment nommer : le succès [2] en est tragique ; Adraste y est tué, et Clindor en péril de mort ; mais le style et les personnages sont entièrement de la comédie. Il y en a même un qui n'a d'être que dans l'imagination, inventé exprès pour faire rire, et dont il ne se trouve point d'original parmi les hommes. C'est un capitan qui soutient assez son caractère de fanfaron pour me permettre de croire qu'on en trouvera peu, dans quelque langue que ce soit, qui s'en acquittent mieux. L'action n'y est pas complète, puisqu'on ne sait, à la fin du quatrième acte qui la termine, ce que deviennent les principaux acteurs, et qu'ils se dérobent plutôt au péril qu'ils n'en triomphent. Le lieu y est assez régulier, mais l'unité de jour n'y est pas observée. Le cinquième est une tragédie assez courte pour n'avoir pas la juste grandeur que demande Aristote et

---

1. « On dit figurément et avec hyperbole, cette affaire-là n'est qu'une pure galanterie pour dire, ce n'est pas une chose de conséquence » (Furetière).
2. Dénouement.

que j'ai tâché d'expliquer[1]. Clindor et Isabelle, étant devenus comédiens sans qu'on le sache, y représentent une histoire qui a du rapport avec la leur, et semble en être la suite. Quelques-uns ont attribué cette conformité à un manque d'invention, mais c'est un trait d'art pour mieux abuser par une fausse mort le père de Clindor qui les regarde, et rendre son retour de la douleur à la joie plus surprenant et plus agréable.

Tout cela cousu ensemble fait une comédie dont l'action n'a pour durée que celle de sa représentation, mais sur quoi il ne serait pas sûr de prendre exemple. Les caprices de cette nature ne se hasardent * qu'une fois ; et quand l'original aurait passé pour merveilleux, la copie n'en peut jamais rien valoir. Le style semble assez proportionné aux matières, si ce n'est que Lyse, en la sixième scène du troisième acte, semble s'élever un peu trop au-dessus du caractère de servante. Ces deux vers d'Horace lui serviront d'excuse, aussi bien qu'au père du Menteur[2], quand il se met en colère contre son fils au cinquième :

> Interdum tamen et vocem comoedia tollit,
> Iratusque Chremes tumido delitigat ore[3].

Je ne m'étendrai pas davantage sur ce Poème. Tout irrégulier qu'il est, il faut qu'il ait quelque mérite, puisqu'il a surmonté l'injure des temps, et qu'il paraît encore sur nos Théâtres, bien qu'il y ait plus de trente années qu'il est au Monde, et qu'une si longue révolution en ait enseveli beaucoup sous la poussière, qui semblaient avoir plus de droit que lui de prétendre à une si heureuse durée.

---

1. Allusion au *Discours du poème dramatique*, que Corneille avait publié dans l'édition de 1660.
2. *Le Menteur* et la *Suite du Menteur* sont la dernière contribution de Corneille au genre comique.
3. « Quelquefois cependant la comédie élève aussi le ton, et Chrémès enfle sa voix pour exhaler sa colère » (*Art poétique*, v. 93-94). Chrémès est le nom du vieillard dans plusieurs comédies de Térence.

APPENDICE

Dans l'édition de 1660, Corneille modifie considérablement la fin de la pièce représentée par la troupe de Clindor au cinquième acte. Le personnage très immoral de Rosine disparaît, et Hippolyte suit Théagène dans la mort. La pièce inachevée de 1635, qui s'interrompait au moment de l'enlèvement d'Hippolyte (péripétie caractéristique de la tragi-comédie), revêt l'habit classique de la tragédie régulière : les bienséances sont désormais respectées, et l'action trouve une conclusion franche à la fin de la pièce ; les héros sont morts, et la princesse en péril des drames mouvementés des années 1630 choisit la mort et la fidélité absolue à son amour héroïque, préfigurant l'Eurydice de Suréna *(1674).*

CLINDOR

Que les plus beaux objets qui soient dessus la terre
Conspirent désormais à lui faire la guerre,
Ce cœur, inexpugnable aux assauts de leurs yeux,
N'aura plus que les tiens pour maîtres et pour Dieux !

LYSE

Madame, quelqu'un vient.

Scène IV

CLINDOR *représentant* THÉAGÈNE,
ISABELLE *représentant* HIPPOLYTE, LYSE *représentant* CLARINE, ÉRASTE, TROUPE DE DOMESTIQUES DE FLORILAME.

ÉRASTE, *poignardant Clindor*

Reçois, traître, avec joie
Les faveurs que par nous ta maîtresse t'envoie.

PRIDAMANT, *à Alcandre*
On l'assassine, ô Dieux ! daignez le secourir.

ÉRASTE
Puissent les suborneurs ainsi toujours périr !

ISABELLE
Qu'avez-vous fait, bourreaux !

ÉRASTE
Un juste et grand exemple,
Qu'il faut qu'avec effroi tout l'avenir contemple,
Pour apprendre aux ingrats, aux dépens de son sang,
À n'attaquer jamais l'honneur d'un si haut rang.
Notre main a vengé le prince Florilame,
La princesse outragée, et vous-même, Madame,
Immolant à tous trois un déloyal époux,
Qui ne méritait pas la gloire d'être à vous.
D'un si lâche attentat souffrez le prompt supplice,
Et ne vous plaignez point quand on vous rend justice.
Adieu.

ISABELLE
Vous ne l'avez massacré qu'à demi :
Il vit encore en moi, soûlez son ennemi ;
Achevez, assassins, de m'arracher la vie.
Cher époux, en mes bras on te l'a donc ravie !
Et de mon cœur jaloux les secrets mouvements
N'ont pu rompre ce coup par leurs pressentiments !
Ô clarté trop fidèle, hélas ! et trop tardive,
Qui ne fait voir le mal qu'au moment qu'il arrive !
Fallait-il... Mais j'étouffe et dans un tel malheur
Mes forces et ma voix cèdent à ma douleur,
Son vif excès me tue ensemble et me console,
Et puisqu'il nous rejoint...

LYSE
Elle perd la parole.
Madame... Elle se meurt ; épargnons les discours,
Et courons au logis appeler du secours.

Ici on rabaisse une toile qui couvre le jardin et le reste des acteurs, et le Magicien et le père sortent de la grotte...

DOSSIER

1 — *Le mélange des genres dans* L'Illusion comique

2 — *Le personnage de Matamore*

3 — *L'apologie du comédien*

4 — *Pratiques de l'illusion théâtrale : Corneille et d'Aubignac*

5 — *Le décor dans* L'Illusion comique *: un problème de scénographie*

1 — *Le mélange des genres dans* L'Illusion comique

L'Illusion comique est, dans toute la production cornélienne, la pièce qui déploie le vocabulaire le plus riche, mais aussi le registre de styles le plus étendu. Or au XVIIe siècle, la notion de style est inséparable de celle de genre, et c'est la soumission d'une œuvre aux lois du genre auquel elle prétend appartenir qui en détermine le critère d'appréciation. Aux yeux d'un critique classique (qu'est devenu Corneille dans l'*Examen*), *L'Illusion comique* est une aberration ou, pour parler comme l'auteur, « un monstre ». En 1660, Corneille ne peut que constater l'irrégularité de son œuvre et la transgression permanente des limites génériques dont elle s'est rendue coupable. Le résultat est proche de l'innommable :

> « Le premier acte ne semble qu'un prologue ; les trois suivants forment une pièce que je ne sais comment nommer : le succès en est tragique ; Adraste y est tué, et Clindor en péril de mort ; mais le style et les personnages sont entièrement de la comédie. »

Pareille analyse témoigne d'une codification très précise de la notion de genre, déterminée par une série de paramètres. Participent ainsi de la définition du genre le type de situation représentée et la condition des personnages. Corollaire du statut des caractères, le registre de langue (le « style »), plus ou moins élevé selon le rang et les préoccupations des protagonistes, étaye la distinction des différents types d'ouvrages. Aux intrigues domestiques et sentimentales des gens de la ville, compliquées et contrariées par l'intervention d'un jaloux ou d'un parent, s'opposent les grands conflits mêlant amour et politique qui mettent aux prises les princes romanesques de la tragi-comédie et les héros mythologiques ou historiques de la tragédie.

LE TON TRAGIQUE

La hiérarchie des genres dramatiques correspond évidemment à celle des classes sociales. Ainsi dans *L'Illusion comique* l'élévation du ton correspond-elle à la promotion des héros. Le passage de la comédie à la tragédie redouble le changement de statut des personnages. La transition d'un genre à l'autre semble donc respectée, et les contrastes fortement marqués ; l'acte V se démarque des actes précédents par un très net ralentissement du rythme et par un allongement considérable des répliques. La thématique tragique (ou plutôt tragi-comique) fait ici valoir ses droits : l'ombre menaçante de Florilame permet d'aborder, même indirectement, le champ du politique, et surtout l'ampleur des scènes IV et V autorise le plein déploiement du discours des passions. Toutefois, c'est moins d'une action tragique (uniquement signalée ici par la mort de Théagène) que du ton de la tragédie qu'il est question dans ce drame en un acte. Pour ce qui est de la matière de cette courte pièce, l'étrange symétrie des débats contradictoires opposant Théagène et Hippolyte, puis Théagène et Rosine, où le héros se fait tour à tour le défenseur puis l'adversaire de l'infidélité conjugale semble plutôt rappeler les exercices rhétoriques pratiqués dans les collèges pour former les élèves à la technique de l'argumentation, que le conflit tragique proprement dit, tel que le développera Corneille ultérieurement. Quoi qu'il en soit, la virtuosité de Clindor dans la tragédie du cinquième acte atteste une maturation du comédien (sans qu'on puisse cependant rien conclure de l'évolution du personnage), dont M. Fumaroli a montré la cohérence dans l'ensemble de la pièce [1] : la formation de l'acteur suppose

---

1. Cf. « Rhétorique et dramaturgie dans *L'Illusion comique* de Corneille », *XVIIe siècle*, 80-81, 1968, p. 107-132 : repris dans *Héros et Orateurs*, Genève, Droz, 1990.

une double initiation, à la technique du jeu d'une part, mais aussi à l'art oratoire.

LA COMÉDIE BIEN TEMPÉRÉE

Par contraste, la comédie des actes II, III et IV semble tordre le cou à l'éloquence régulière dont le dernier acte donnera l'idée. Au genre comique revient, en théorie du moins, l'usage d'une langue simple et prosaïque, dont Corneille avait proposé dans ses comédies antérieures une version un peu sophistiquée. La tradition du genre interdit à la comédie l'effusion lyrique ou la pompe héroïque. De fait, ces limites sont constamment rappelées dans les actes intermédiaires, et leur transgression condamne celui qui les franchit au ridicule, comme en témoigne superlativement le personnage de Matamore.

Le langage amoureux ne parvient pas à se faire entendre dans les actes II et III : la déclaration d'Adraste (II, 3), qui concentre en quelques répliques les formules stéréotypées de la passion selon les précieux, se heurte à un refus teinté d'ironie de la part d'Isabelle qui se montre habile à en détourner les figures (v. 365-368). L'éloquence très conventionnelle de Clindor (II, 5) rencontre aussi peu de succès quand il vient à son tour témoigner sa flamme à la jeune fille (« Épargnez ces propos superflus », v. 487). La langue comique opère ainsi une critique du discours figuré[1]. En ce sens, la tentative de séduction de Clindor auprès de Lyse (III, 5) s'oppose à la déclaration du même Clindor à Isabelle, comme la

1. Quand il arrive à Isabelle de recourir à la rhétorique précieuse qu'elle a pourtant censurée dans la bouche d'Adraste, afin de faire valoir ses droits face à son père (III, 1), Géronte relève immédiatement cet « écart » de langage (« cette philosophie », v. 654), et souligne ainsi moins la fausseté des arguments de sa fille que l'inadéquation de son style au contexte de la comédie. Inefficace et déplacé, le jargon précieux aboutit à un contresens : Géronte se méprend sur les sentiments réels de sa fille.

vérité de la lettre, fût-elle scandaleuse, à l'artifice de la figure.

Une exception remarquable à ce travail de censure s'observe toutefois à l'acte IV avec les deux monologues d'Isabelle (IV, 1) et de Clindor (IV, 7). Symétriquement placés aux limites de l'acte, ils contribuent à le marginaliser par rapport aux deux actes précédents. De fait, le statut de ce quatrième acte est problématique, au moins autant que celui de la tragédie du suivant qui attire davantage l'attention. Il observe un suspens dans l'action comique : le point de vue de la réalité y perd l'essentiel de ses droits. Isabelle et Clindor s'abandonnent à la déploration de ce qu'ils prennent pour la vérité du drame, la condamnation de Clindor, et se projettent dans la vision terrifiante du supplice. Lyse fait à rebours le récit rétrospectif de ses démarches auprès du geôlier, et Matamore récrit l'histoire de sa captivité. Avant l'intervention finale du gardien qui expédie la fin de l'acte (comparable à ce titre au duelliste impersonnel Adraste/Éraste des actes III et V), l'action semble se défaire et se détourner du cours de la comédie. Et c'est bien d'un congé de la scène comique[1] qu'il est question. Sous l'autorité démiurgique de la soubrette Lyse, les héros prennent la fuite : on détourne la loi, on tire Clindor de sa prison et on révoque le principal représentant du monde de la comédie, Matamore. Autant que les protagonistes se soustraient à la puissance de la loi paternelle, la fin de l'acte congédie les formes du genre.

Le duo, ou plus proprement le diptyque élégiaque d'Isabelle et de Clindor, marque pleinement sa singularité. Le ton lyrique signale une rupture, comme il en est tant dans la pièce. On fera toutefois remarquer que si la sincérité des héros est hors de doute (la solitude du monologue les dispense de tout artifice), la forme que

1. Rappelons que c'est au cours de ce quatrième acte qu'est rompue l'unité de lieu que les deux actes précédents avaient respectée : la prison de Clindor à la fin de l'acte exige un décentrement de l'action jusqu'alors circonscrite aux abords de la maison d'Isabelle.

donne Corneille à leur lamento est en revanche parfaitement codée. Le monologue désespéré de la jeune première, et plus encore la plainte du héros emprisonné [1], ressortissent manifestement de la convention de la tragicomédie. La scène VII est par surcroît inutile dans l'économie de l'intrigue puisque l'on sait Clindor hors de danger dès la scène précédente. Distorsion remarquable : le comble de la sincérité est atteint dans deux séquences où culmine l'artifice dramaturgique. Vérité du personnage qui coïncide maintenant pleinement avec son métier d'acteur ?

Revenons à notre ton. L'élégie de l'acte IV anticipe le style de la tragédie, comme les deux héros anticipent l'issue du drame. Nous sommes (toujours) déjà au théâtre, préviennent loyalement les acteurs en élevant le ton. Faute de le reconnaître, Pridamant se méprend sur la nature du spectacle qui se joue sous ses yeux. La précipitation de Clindor a pourtant valeur d'avertissement : un personnage captif s'afflige à tort d'une mort annoncée. Pridamant dans la grotte répétera la faute (et reprendra le rôle) du prisonnier mystifié. Raffinement borgésien : la pièce enchâssée anticipe aussi la réaction du spectateur qui devient l'interprète du comédien. Le père évoque la vie passée de son fils, qui joue par avance une scène de la vie du père. La fin de la pièce suggère finalement cette conclusion un peu inquiétante que les positions de la réalité et de l'illusion ne sont pas seulement indécises, mais réversibles.

1. Corneille y a déjà sacrifié deux fois, dans *Clitandre* (IV, 6), et dans *Médée* (IV, 4), qui plus est à la même place, l'avant-dernière scène du quatrième acte (et l'antépénultième pour *L'Illusion comique*).

2 — *Le personnage de Matamore*

Le personnage du soldat vantard et peureux appartient à une tradition ancienne qui remonte à Aristophane. Plaute l'a consacré comme un type comique du théâtre latin sous les traits de Pyrgopolinice, dans la pièce qui donnera son nom au rôle, le *Miles gloriosus*. La postérité saura faire valoir cette prestigieuse filiation, dont elle n'aurait sans doute pas eu besoin pour assurer la popularité du personnage, qui reparaît avec éclat en Italie puis en France, dès le XVIe siècle. L'actualité justifie amplement ce regain d'intérêt, et lui donne un contenu précis. La satire prend désormais pour cible le soldat espagnol, de sinistre réputation en Italie, où les mercenaires ibériques sillonnent le pays. Le comique populaire façonne le type, et la Commedia dell'arte l'impose au théâtre en l'intégrant systématiquement à son répertoire de figures, matériau préparatoire au travail d'improvisation. Francesco Andreini, l'acteur le plus célèbre de son temps et le chef de la troupe des Gelosi, publie en 1607 à Venise un recueil de courts dialogues comiques entre le fanfaron et son valet, *Le Bravure del Capitano Spavente* (traduit l'année suivante en français : *Les Bravacheries du capitaine Spavente*), fruit de son expérience de comédien spécialisé peu à peu dans cet emploi qu'il affirme dans sa préface vouloir affiner encore. Il insiste particulièrement sur l'un des deux grands traits que Plaute avait originellement fait valoir, et qu'à sa suite on s'empressera d'exploiter, le caractère de l'amoureux ridicule. C'est sous la double influence de Mars et de Vénus que Matamore fera une brillante carrière en France.

Les mêmes raisons qui permettaient de comprendre l'actualité de la satire en Italie éclairent le contexte français. Le souvenir de la présence des troupes espagnoles en France aux côtés de la Ligue, à l'extrême fin du XVIe siècle, était encore vivace quand reprirent les hostilités entre les deux puissances pour exercer un pouvoir hégémonique en Europe : ce sera le véritable enjeu de la guerre de Trente Ans (en 1635 précisément la France déclare la guerre à l'Espagne). En outre, le prestige intellectuel et moral dont jouissait le rival ibérique en France nourrissait un profond ressentiment qui trouvait à se satisfaire dans la caricature inoffensive d'un guerrier de papier. En 1607, paraît un recueil d'anecdotes satiriques tournant en ridicule le soldat vantard, les *Rodomontades espagnoles* de N. Baudoin, qui connaît un large succès et de nombreuses rééditions, dont plusieurs à Rouen, où Corneille en a certainement pris connaissance. Le théâtre s'empare du personnage. Les comédiens italiens exportent la tradition de la Commedia dell'arte, mais leurs confrères français ne sont pas en reste. Le théâtre de foire fait une place au fanfaron dans ses farces : Tabarin s'illustre sur les tréteaux dans le rôle de Rodomont. La comédie et la tragi-comédie le hissent sur la scène des grands théâtres parisiens, où il revient d'une pièce à l'autre comme une figure obligée jusque dans les années 1640, avant de passer de mode.

Certains acteurs se font une spécialité de l'emploi de Matamore : F. Andreini dans la troupe des Gelosi, Saint-Martin à l'Hôtel de Bourgogne, et Bellemore, on l'a vu, au théâtre du Marais à partir de 1635. On peut mesurer l'ampleur du succès du personnage d'après une indication fournie par une réplique du *Railleur*, une comédie d'André Mareschal, qui fait allusion à une sorte de « festival » (le mot est de R. Garapon) de rodomontades données par Bellemore au théâtre du Marais pendant le carnaval de 1635, peut-être, comme le suggère G. Dotoli dans son édition du *Railleur*, pour faire concurrence au théâtre de Bourgogne qui avait organisé un spectacle similaire l'année précédente. La prestation du Matamore, fidèle encore à son origine populaire, constituait bien un divertissement en soi, et était de fait plus ou moins artificiellement rattachée au développement de l'intrigue. Corneille a mesuré la difficulté pour finalement en tirer parti. Il y a bien une progression du personnage dans la pièce, mais vers la sortie de scène. Le rôle de Matamore, impuissant à agir, sera précisément de commenter éloquemment et subtilement les étapes de sa propre disparition de l'intrigue en la justifiant.

De la légion de fanfarons qui assiègent le théâtre contemporain de celui de Corneille, nous ne retiendrons ici que deux exemples, qui illustrent de deux manières différentes la fonction récréative de l'intervention du personnage ; chez Pichou, la tirade traditionnelle du vantard, morceau de bravoure attendu par le public, comme plus tard l'air d'opéra (le catalogue de Matamore (III, 4) donne le ton…) ; et chez Rotrou, l'intermède comique dans une tragi-comédie.

PICHOU : *LES FOLIES DE CARDENIO* (1628)

On sait peu de chose de cet écrivain, on ignore jusqu'à son prénom. Auteur de quelques poèmes et de quatre pièces, tragi-comédies et pastorales qui connurent le succès, il appartient à la génération des jeunes frondeurs qui, à partir de la fin des années 1620, s'affranchit des autorités et des règles pour imposer le ton nouveau de la tragi-comédie. Le fanfaron qu'il met en scène nous intéressera surtout ici pour le nom qu'il porte. *Les Folies de Cardenio* sont en effet la première adaptation théâtrale en France d'un épisode du *Don Quichotte* de Cervantès (publié en 1605 pour la première partie et 1615 pour la seconde, et traduit en français en 1614 et 1618). Dans la version de Pichou, le chevalier extravagant mais courageux de l'original espagnol se transforme indûment en un matamore caricatural, avec lequel on confondra longtemps du côté français le personnage de Cervantès.

DOM QUICHOT

Fidèle compagnon et témoin de mes armes,
Qui ne me quitte point dans l'effroi des alarmes,

Généreux écuyer pour qui les Amadis[1]
Mépriseraient le choix qu'ils avaient fait jadis,
Parmi tous les exploits et les peines diverses
Qui peuvent signaler mes guerrières traverses[2],
Tu sais que les périls m'ont été des ébats[3].
Depuis que mon courage a cherché les combats,
J'ai gravé mon estime au sein de la mémoire
Et vidé de lauriers les autels de la gloire.
Que les preux renommés dans les siècles passés
Ne représentent plus leurs portraits effacés :
Mon renom seulement tient les plus fiers en bride,
Irriter mon courroux c'est offenser Alcide[4],
L'honneur suit mes desseins, la victoire mes pas,
Et l'un de mes regards peut causer cent trépas.
Ami de l'innocence et vengeur de l'outrage,
Je borne ma grandeur des lois de mon courage
Et, tirant la valeur du sépulcre des morts,
Je relève l'éclat de ses premiers efforts.
Le Tage tous les jours me voyant sur ses rives
Précipite le cours de ses vagues craintives,
Et la mer recevant ses flots ensanglantés,
Qui traînent les corps morts de ceux que j'ai domptés,
Croit que sa violence a dépeuplé la terre,
Et qu'au lieu de tribut il lui porte la guerre :
Tant je suis valeureux que mes moindres exploits
Font peur aux éléments et leur donne des lois.
Un enfant[5] toutefois me ravit la franchise[6]
Et se tient orgueilleux du bonheur de ma prise.
Celui qui, malgré l'art des enchanteurs malins[7],
Dompte des Rodomons[8] transformés en moulins,

1. *Amadis de Gaule*, roman de chevalerie espagnol, écrit au XVe siècle par García Ordóñez de Montalvo, et publié en 1508 à Saragosse. Les huit premiers livres furent traduits en France par Herberay des Essarts, de 1540 à 1548, et le cycle connut de nombreuses suites dues à des continuateurs divers.
2. Aventures.
3. Amusements.
4. Hercule, petit-fils d'Alcée.
5. L'Amour.
6. Liberté.
7. Malveillants.
8. Personnage des romans chevaleresques italiens (le *Roland amoureux* de Boiardo et *Roland furieux* de l'Arioste), guerrier sarrasin courageux

Se rend à la merci d'une aveugle puissance
À qui notre faiblesse a donné la naissance,
Et toute sa valeur est inutile ici (III, 5).

Rotrou : *Agésilan de Colchos* (vers 1635)

Auteur abondant et brillant, il succède au vieux dramaturge Alexandre Hardy comme poète à gages de l'Hôtel de Bourgogne à partir de 1629. Remarqué par Richelieu, il est enrôlé dans l'équipe des Cinq Auteurs, et participe ainsi avec Corneille, sous la direction du cardinal, à la rédaction de *La Comédie des Tuileries* en 1635. Son œuvre comprend six tragédies, douze comédies et surtout dix-sept tragi-comédies, genre dont il est avec l'auteur du *Cid* le meilleur représentant. Comme c'est l'usage, la tragi-comédie d'*Agésilan* est librement adaptée d'un texte romanesque, l'*Amadis de Gaule*.

Rosaran, le matamore de la pièce, n'apparaît que dans deux scènes (II, 2 et V, 8), et n'influence en rien le cours de l'action : les autres personnages se contentent de rire de son extravagance.

La reine de Guindaye, Sidonie, promet la main de sa fille Diane à celui qui vaincra au combat le roi d'une province grecque, Florisel, à qui elle voue une haine farouche. Florisel est en fait le père de Diane, fruit de ses amours avec Sidonie qu'il a abandonnée après l'avoir séduite. Les prétendants se font nombreux, séduits par la beauté de Diane, dont la reine a pris soin de diffuser le portrait : Rosaran s'imagine déjà vainqueur d'un rival qu'il ne connaît pas. Au début de l'acte II, il rencontre Florisel accompagné de son confident, Arlandes :

FLORISEL

Il le faut aborder ; flattons son arrogance,
Et tirons du plaisir de son extravagance.
Généreux cavalier…

---

mais d'un orgueil excessif. Don Quichotte le salue comme un chevalier des plus braves (II, chap. I). À l'époque de Pichou, le nom était déjà synonyme de bravache.

ROSARAN
La qualité me plaît.

FLORISEL
Vous cherchez Florisel ?

ROSARAN
Oui ; sais-tu quel il est ?
Un aveugle, un tyran me demande sa tête [1] ;
Et je dois accorder son injuste requête.

FLORISEL
Animé de l'ardeur dont vous êtes épris,
De vos moindres efforts elle sera le prix.

ROSARAN
Sans l'aide des Enfers à sa défense offerte,
Je crois qu'il ne peut pas en éviter la perte.

FLORISEL
On dit qu'il est vaillant ; mais votre seul aspect
Impose aux plus hardis la crainte et le respect.

ROSARAN
Vaillant ? Dieux, le faux bruit ! Et que la renommée
D'une seule étincelle engendre de fumée !
En mille occasions j'ai vu, sans vanité,
Florisel dépourvu de cette qualité.

FLORISEL
Quoi ! Vous l'avez battu ?

ARLANDES
Que mon âme est ravie !

ROSARAN
Il a de ma pitié tenu cent fois la vie,
Et je l'ai cent fois mis au terme du devoir,
Où ma compassion me la fait recevoir.

FLORISEL
Vous allez de sa mort accroître votre gloire,
Et remporter sur lui la dernière victoire ?

1. Il s'agit ici encore de l'Amour.

ROSARAN

Puisqu'il plaît à l'Amour Florisel doit périr ;
Et le ciel vainement le voudrait secourir.

FLORISEL

Où le trouverez-vous ?

ROSARAN

Errant en ces provinces,
Où sa timidité le cache à mille princes
Qui veulent acheter Diane de son sang,
Et parmi qui mon nom tient un honnête rang...

(Par jeu, Florisel affiche le plus grand dédain pour la beauté de Diane, dont il prétend laisser la conquête à des fous comme... Rosaran.)

ROSARAN

Mais moi qui suis du rang...

FLORISEL

Plus fou que pas un d'eux.

ROSARAN

J'aime ta belle humeur, presque à ma honte même,
Et ne te puis ouïr sans un plaisir extrême.

FLORISEL

Si j'étais Florisel ?

ROSARAN

Le ciel t'en garde, hélas !
Dans un moment, ou moins...

FLORISEL

Quoi ?

ROSARAN

Tu ne vivrais pas ;
Sa tête que je cherche, et que veut Sidonie,
Reconnaîtrait bientôt ma valeur infinie.

FLORISEL, *mettant l'épée à la main.*

Voilà, voilà ce don que tu lui dois porter ;
Mais pour en être maître il le faut disputer :
Achète de ce prix le bien qu'elle te nie[1].

1. Refuse.

ROSARAN, *à Arlandes.*

Retenez sa fureur, Dieux ! quelle est sa manie [1],
Pourquoi s'expose-t-il sous un nom emprunté
À l'invincible effort de ce bras indompté ?

ARLANDES

Dieux ! L'agréable fou ! *(Il sort.)*

FLORISEL

Toi qui cherches ma tête,
Toi de qui Florisel fut cent fois la conquête,
Aux pieds de qui cent fois il mit ses armes bas,
Tu délibères, lâche, et ne le connais [2] pas !

ROSARAN

Vous êtes Florisel ? Ô rencontre propice !
Que le sort aujourd'hui me rend un bon office !
Le ciel me soit témoin que le but de mes pas
N'est que de vous offrir le secours de mon bras ;
Que jamais à mortel je n'offre d'assistance,
Si je me suis armé que [3] pour votre défense.
Vous connaîtrez en moi, par d'utiles effets,
Le plus sincère ami que vous eûtes jamais.

FLORISEL

Le ciel montre les soins qu'il a de l'innocence,
Et me voilà pourvu d'un ami d'importance.
Adieu, puisses-tu voir ma tête entre tes mains,
Si tu n'es mon ami le plus fou des humains. *(Il sort.)*
(II, 2)

CORNEILLE : *LE MENTEUR* (1643-1644)

Quelques années après *L'Illusion comique* et le grand succès de son fanfaron, Corneille composera un petit traité de rodomontade. Dorante, le héros du *Menteur*, se vante auprès de Clarice qu'il entreprend de séduire de hauts faits d'armes accomplis pendant « les guerres

1. Folie.
2. Reconnais.
3. Pour autre chose que (cf. *L'Illusion comique*, v. 715 et la note).

d'Allemagne » (« Je m'y suis fait quatre ans craindre comme un tonnerre »). Étudiant en droit, il n'a en fait connu que la faculté de Poitiers dont il revient au début de la pièce. La justification qu'il donne de son mensonge à son valet Cliton constitue un très bon commentaire de l'éloquence de Matamore. En bon orateur, Dorante évalue la force de persuasion de son art : il s'agit de convaincre un auditoire féminin. L'analyse recense alors méthodiquement les principales figures employées précédemment par le capitan : allitérations, énumérations, hyperboles, obscurités, façonnent un discours spectaculaire émaillé d'un vocabulaire technique et rare.

DORANTE

On s'introduit bien mieux à titre de vaillant,
Tout le secret ne gît qu'en un peu de grimace,
À mentir à propos, jurer de bonne grâce,
Étaler force mots qu'elles n'entendent pas,
Faire sonner Lamboy, Jean de Vert, et Galas [1],
Nommer quelques châteaux, de qui les noms barbares,
Plus ils blessent l'oreille, et plus leur semblent rares,
Avoir toujours en bouche angles, lignes, fossés,
Vedette [2], contrescarpe [3], et travaux avancés.
Sans ordre et sans raison, n'importe, on les étonne,
On leur fait admirer les bayes [4] qu'on leur donne,
Et tel à la faveur d'un semblable débit
Passe pour homme illustre, et se met en crédit. (I, 6)

1. Noms de généraux au service de l'empereur Ferdinand III.
2. Tourelle de guet.
3. Paroi extérieure d'un fossé.
4. « On dit proverbialement d'un grand hâbleur que c'est un donneur de bayes, qu'il repaît de bayes, lorsqu'il promet beaucoup et qu'il ne tient rien. » (Furetière).

3 — *L'apologie du comédien*

L'éloge du métier de l'acteur reste très mesuré dans *L'Illusion comique.* Il se limite à une formulation sommaire du paradoxe du comédien auquel s'intéressera Diderot plus tard. Corneille n'apporte donc qu'une contribution modeste à la nombreuse littérature qui prend la défense de la profession contre ses détracteurs, gens d'Église le plus souvent. Les plaidoyers les mieux nourris sont l'œuvre de comédiens italiens, directeurs de troupes et fins lettrés. Niccolò Barbieri (Beltrame à la scène), codirecteur avec Gian Battista Andreini de la troupe des *Fedeli* qui s'est produite à Paris à la demande du roi, publie ainsi à Venise en 1634 *La Supplica*, dont M. Fumaroli a rappelé l'importance. C'est une argumentation serrée et très documentée qui fit grand bruit lors de sa parution. Barbieri y insiste longuement sur la dignité du comédien face au satirique et au mime qui méritent en revanche une entière réprobation. Il rappelle également l'utilité morale de la comédie, et le prestige social de certains grands comédiens, couverts d'honneurs par les souverains d'Europe (Isabella Andreini distinguée par Henri IV).

Quand le théâtre met en scène le monde du théâtre, comme c'est la mode en France dans les années 1630, le métier du comédien donne matière à des tirades élogieuses. Nous en présentons deux, la première est tirée de la pièce de Scudéry qui a inspiré à Corneille le principe de *L'Illusion comique*, la seconde est extraite du chef-d'œuvre de Rotrou, *Saint Genest, comédien et martyr*, écrit à la gloire du saint patron des acteurs.

G. DE SCUDÉRY : *LA COMÉDIE DES COMÉDIENS* (1633)

Né en 1601, Scudéry abandonne la carrière militaire pour s'installer à Paris en 1630 et se consacrer à la littérature. Il se lance, comme tous les jeunes ambitieux de son temps, dans l'aventure du théâtre. Entre 1631 et 1644, il donne seize pièces, en majorité des tragi-comédies. Sans doute pour complaire à Richelieu, il rallie brusquement les partisans des règles contre Corneille lors de la Querelle du *Cid*. Sa carrière théâtrale s'achève pratiquement avec la mort du cardinal. Il se consacre ensuite au roman, en collaboration avec sa sœur Madeleine qui en prend en réalité la plus grande part : *Ibrahim* en 1642, le *Grand Cyrus* en 1649-1654. Il meurt en 1667.

Représentée au théâtre du Marais, sans doute au début de l'année 1633, *La Comédie des comédiens* reprend le titre et le principe de la pièce de Gougenot, donnée elle à l'Hôtel de Bourgogne. M. de Blandimare est à la recherche de son neveu, un aventurier qui court l'Europe. De passage à Lyon, il se remet de ses fatigues en allant assister à une représentation théâtrale donnée par une troupe itinérante, dirigée par Beausoleil. Il reconnaît en Belle-Ombre, le portier de la compagnie, son neveu disparu. Intrigué de cette reconversion, il décide de convier les comédiens à souper. Le débat s'engage avec le deuxième acte :

BEAUSOLEIL

Pour nous punir en quelque façon de la faute que nous avons commise en recevant Monsieur votre neveu, votre bel esprit a semblé avoir pris à tâche, pendant tout le souper, le mépris de la comédie : mais nous nous en consolons, par la connaissance que nous avons de la bonté de votre jugement qui, sans doute, vous fait avoir dans l'âme des sentiments de notre profession tout contraires à ce que la raillerie vous met à la bouche sur ce sujet.

MONSIEUR DE BLANDIMARE

Tant s'en faut que je la méprise, que je tiens qu'à moins que d'avoir renoncé au sens commun, il n'est pas possible qu'on ne l'estime quand elle est bien faite, mais je vous dirai librement que j'ai le même goût pour les comédiens que pour les vers, pour les melons et pour les amis ; c'est-à-dire que s'ils ne sont excellents, ils ne valent rien du tout. Il y a des choses d'une nature si relevée que la médiocrité les détruit : et à n'en point mentir, il faut tant de qualités à un comédien pour mériter celle de bon, qu'on ne les rencontre que fort rarement ensemble. Il faut premièrement que la nature y contribue en lui donnant la bonne mine ; car c'est ce qui fait la première impression dans l'âme des spectateurs ; qu'il ait le port du corps avantageux, l'action libre et sans contrainte, la voix claire, nette et forte ; que son langage soit exempt des mauvaises prononciations et des accents corrompus qu'on acquiert dans les provinces, et qu'il se conserve toujours la pureté du français ; qu'il ait l'esprit et le jugement bon pour l'intelligence des vers et la force de la mémoire pour les apprendre promptement et les retenir après toujours ; qu'il ne soit ignorant ni de l'histoire, ni de la fable, car autrement il fera du galimatias malgré qu'il en ait, et récitera des choses bien souvent à contresens, et aussi hors de ton qu'un musicien qui n'a point d'oreille. Ses actions mêmes seront comme les pas d'un mauvais baladin qui saute une heure après la cadence ; et de là vient tant de postures extravagantes, et tant de levers de chapeau hors de saison, comme on voit sur les théâtres. Enfin, il faut encore que toutes ces parties soient encore accompagnées d'une hardiesse modeste qui, ne tenant rien de l'effronté, ni du timide, se maintienne dans un juste tempérament. Et pour conclusion, il faut que les pleurs, le rire, l'amour, la haine, l'indifférence, le mépris, la jalousie, la colère, l'ambition, et bref que toutes les passions soient peintes sur son visage chaque fois qu'il le voudra. Or jugez maintenant si un homme de cette sorte est beaucoup moins rare que le Phénix ? (II, 1)

ROTROU : *SAINT GENEST, COMÉDIEN ET MARTYR* (1645 OU 1646)

Le comédien Genest doit représenter devant l'empereur Dioclétien et le vice-empereur Maximin l'histoire d'Adrien, officier romain converti au christianisme et que Maximin avait supplicié peu de temps auparavant. Saisi par son rôle et touché par la grâce, Genest devient, au cours de la représentation, ce converti qu'il interprète. Il fait siennes les répliques d'Adrien, sans que le public d'abord s'en émeuve, puis interrompt le spectacle et clame sa foi nouvelle. Il subira à son tour le martyre.

Au début de la pièce, l'empereur fait l'éloge de son acteur favori :

DIOCLÉTIEN

Genest, ton soin m'oblige, et la cérémonie
Du beau jour où ma fille à ce prince est unie,
Et qui met notre joie en un degré si haut,
Sans un trait de ton art aurait quelque défaut.
Le théâtre aujourd'hui, fameux par ton mérite,
À ce noble plaisir puissamment sollicite,
Et dans l'état qu'il est ne peut, sans être ingrat,
Nier de lui devoir son plus brillant éclat :
Avec confusion j'ai vu cent fois tes feintes
Me livrer malgré moi de sensibles atteintes ;
En cent sujets divers, suivant tes mouvements,
J'ai reçu de tes feux de vrais ressentiments ;
Et l'empire absolu que tu prends sur une âme
M'a fait cent fois de glace et cent autres de flamme.
Par ton art les héros, plutôt ressuscités
Qu'imités en effet et que représentés,
De cent et de mille ans après leurs funérailles,
Font encor des progrès et gagnent des batailles,
Et sous leur nom fameux établissent des lois :
Tu me fais en toi seul maître de mille rois.
Le comique où ton art également succède,
Est contre la tristesse un si pressant remède,
Qu'un seul mot, quand tu veux, un pas, une action
Ne laisse plus de prise à cette passion,
Et, par une soudaine et sensible merveille,
Jette la joie au cœur par l'œil ou par l'oreille. (I, 5)

4 — *Pratiques de l'illusion théâtrale : Corneille et d'Aubignac*

La sévérité de l'ordre intimé par deux fois par Alcandre à Pridamant de ne pas quitter la grotte magique sans son autorisation, et de ne pas rompre ainsi le « charme » de l'illusion théâtrale, n'est pas sans rappeler dans son insistance les préceptes d'un grand théoricien de l'art dramatique en France, l'abbé d'Aubignac. Son ouvrage majeur, *La Pratique du théâtre*, publié en 1657, mais composé bien plus tôt, offrait une synthèse des conceptions et des règles de la dramaturgie classique. Le souci premier de d'Aubignac est avant tout pratique, comme l'indique son titre, et son enquête ne se limite pas à des questions de poétique théâtrale à l'intention des seuls écrivains, mais aborde également les questions techniques qui intéressent au premier chef régisseurs, décorateurs et costumiers : il tend ainsi à définir les conditions dans lesquelles une œuvre théâtrale pourra entraîner l'adhésion du public, au point de faire oublier l'artifice et les conventions qui compromettent trop souvent à ses yeux le succès des représentations ; en un mot, d'obliger le spectateur à abdiquer insensiblement tout jugement critique devant l'irréalité de ce qui lui est proposé sur scène, pour confondre réalité et illusion. C'est cet impératif esthétique qui fonde toute la théorie de d'Aubignac, et particulièrement l'obéissance absolue du dramaturge à la vraisemblance de l'action qu'il représente. Pour gagner la confiance du spectateur, l'auteur doit tenir compte des conditions objectives auxquelles la représentation est nécessairement soumise, soit une durée approximative de deux heures dans un espace unique, la salle de théâtre. L'illusion ne peut opérer que si elle marque le moins possible la différence entre le temps et le lieu de la fiction représentée sur la scène, et celui dont les spectateurs font réellement l'expérience à la place qu'ils occupent. Idéalement, la durée de l'action ne devrait pas excéder celle de la représentation et le drame devrait se nouer dans un seul et même lieu : ce sera la salle du palais et le jour fatal de la tragédie racinienne, mais c'est aussi, comme se plaît à le faire remarquer Corneille dans l'*Examen* de 1660, la situation de *L'Illusion comique*, si l'on s'en tient à la confrontation d'Alcandre et de Pridamant dans la grotte : « Tout cela cousu ensemble fait une comédie dont l'action n'a pour durée que celle de sa représentation… »

Dès lors que le vraisemblable se définit par la conformité du spectacle à l'expérience du public, les exigences du dramaturge ne se limitent pas à la question des unités de lieu, de temps, et aussi d'action, dont la simplicité et l'unicité commande les deux premières. Par expérience, il faut entendre aussi, et surtout, les habitudes de pensée, les opinions reçues et les croyances couramment admises. Un personnage sera vraisemblable si son caractère et ses agissements correspondent à l'idée qu'un spectateur moyen s'en fait : un roi se devra de manifester force et sagesse, un vieillard sera régulièrement avare et méfiant. L'intrigue enchaînera jusqu'au dénouement une suite d'événements immédiatement compréhensibles à partir de ces présupposés. La surprise en droit n'est pas exclue par d'Aubignac qui, fidèle à Aristote, ne peut qu'admettre le coup de théâtre, à condition qu'il ait été soigneusement préparé par une succession d'indices adroitement dissimulés, mais l'extraordinaire, le trait inexplicable d'un caractère ou d'une circonstance (par exemple, le meurtre de Camille dans *Horace*, ou peut-être même le sublime renoncement de Lyse dans *L'Illusion comique*) n'a pas droit de cité dans le théâtre très raisonnable de l'abbé d'Aubignac.

Telles sont, brièvement exposées, les conceptions de l'auteur de *La Pratique du théâtre*. Nous en donnons ici un court passage où la comparaison du dramaturge avec un peintre fait valoir le rationalisme intransigeant du théoricien. L'opposition radicale de Corneille à cette doctrine du vraisemblable est bien connue ; elle a fait l'objet d'une importante étude de M. G. Forestier, dont nous reprenons la conclusion, qui intéresse directement *L'Illusion comique.*

F. HÉDELIN, ABBÉ D'AUBIGNAC : *LA PRATIQUE DU THÉÂTRE* (1657)

Livre I, chapitre 6 : Des spectateurs et comment le poète les doit considérer.

« Je prends ici la comparaison d'un tableau, dont j'ai résolu de me servir souvent en ce traité, et je dis qu'on le peut considérer en deux façons. La première comme une peinture, c'est-à-dire, en tant que c'est l'ouvrage de la main du peintre, où il n'y a que des couleurs, et non pas des choses ; des ombres, et non pas des corps, des jours artificiels, de fausses élévations, des éloignements en perspective, des raccourcissements illusoires, et de simples apparences de tout ce qui n'est point. La seconde, en tant qu'il contient une chose qui est peinte, soit véritable ou supposée telle, dont les lieux sont certains, les qualités naturelles, les actions indubitables, et toutes les circonstances selon l'ordre et la raison.

« Il en est de même du poème dramatique. On peut du premier regard y considérer le spectacle, et la simple représentation, où l'art ne donne que des images des choses qui ne sont point. Ce sont des princes en figure, des palais en toiles colorées, des morts en apparence, et tout enfin comme en peinture. Pour cela les acteurs portent toutes les marques de ceux qu'ils représentent, la décoration du théâtre est l'image des lieux où l'on feint qu'ils se sont trouvés. Il y a des spectateurs, on fait parler les personnages en langue vulgaire, et toute chose y doit être sensible. Et c'est pour parvenir à cette représentation que les poètes font paraître et discourir tantôt un personnage, tantôt un autre, qu'il se fait des récits de ce qu'on n'a point vu, et que l'on met plusieurs spectacles et tant de machines différentes sur les théâtres…

« Ou bien on regarde dans ces poèmes l'histoire véritable, ou que l'on suppose véritable, et dont toutes les aventures sont véritablement arrivées dans l'ordre, le temps et les lieux, et selon les intrigues qui nous apparaissent. Les personnes y sont considérées par les caractères de leur condition, de leur âge, de leur sexe ; leur discours comme ayant été prononcés, leurs actions faites, et les choses telles que nous les voyons. Je sais bien que le poète en est le maître, qu'il dispose l'ordre et l'économie de sa pièce comme il lui plaît, qu'il prend le temps, l'allonge et le raccourcit à sa volonté, qu'il choisit le lieu tel que bon lui semble dans tout le monde, et que pour les intrigues il les invente, selon la force et l'adresse de son imagination : en un mot il change les matières et leur donne des formes comme il le veut résoudre dans son conseil secret : mais il est vrai pourtant que toutes ces choses doivent être si bien ajustées qu'elles semblent avoir eu d'elles-mêmes la naissance, le progrès et la fin qu'il leur donne. Et quoiqu'il en soit l'auteur, il les doit manier si dextrement qu'il ne paraisse pas seulement les avoir écrites. »

G. FORESTIER : « ILLUSION COMIQUE ET ILLUSION MIMÉTIQUE » (1984)

« Ainsi derrière son[1] affirmation selon laquelle "les grands sujets… doivent toujours aller au-delà du vraisemblable", on ne doit pas voir seulement une exigence de liberté créatrice face à la tyrannie des censeurs moralisants. Le fond de la "querelle du *Cid*" ne concernait pas uniquement la morale. En écrivant ses *Discours*, Corneille était bien conscient que d'Aubignac s'appuyait sur une démarche à prétention universaliste qui cherchait moins à tout soumettre à des dogmes périssables qu'à parvenir à une prétendue *vérité* de l'action fictive, qui serait l'essence du théâtre. Certes, dans les deux cas on aboutit à un étouffement de la liberté créatrice ; mais l'enjeu du débat et de la prise de position de Corneille n'est pas seulement là. Il est dans l'idée qu'au théâtre compte moins la reproduction mimétique des actions humaines que le déroulement de belles histoires, qui doivent frapper l'imagination du spectateur par leur caractère inouï et bousculer son attente à l'aide de grands "effets" : "la gloire" du poète dramatique n'est pas dans la

1. Il s'agit de Corneille.

soumission à des règles, mais dans l'habileté à composer avec elles. C'est pourquoi la contestation des principes de D'Aubignac, loin de se limiter au choix des sujets, concerne tous les aspects du déroulement de l'action.

« Remarquons, pour finir, que l'opposition entre les deux hommes déborde largement l'esthétique théâtrale de l'âge classique et concerne la problématique générale du théâtre. Le XXe siècle nous a appris que la pratique théâtrale était comprise entre deux pôles : la possession (conception définie par Artaud) et la distance (conception définie par Brecht), entre lesquels s'organisent tous les types de combinaisons, qui nuancent ces deux extrémismes. Mais les combinaisons et les nuances n'empêchent pas que l'on se trouve depuis l'Antiquité devant deux grands courants, l'un qui cherche à faire oublier à tout prix au spectateur qu'il est au théâtre, l'autre qui tient à lui rappeler régulièrement qu'il assiste à un spectacle.

« Or, il est clair que ni d'Aubignac ni Corneille (dans ses tragédies, du moins) ne s'inscrivent dans ce second courant. L'un et l'autre ont pour objectif unique de susciter l'adhésion sans réserve du spectateur au spectacle. D'ailleurs, d'Aubignac a composé tout exprès un chapitre dans lequel il condamne ce qu'il appelle le “mélange de la Représentation avec la vérité de l'Action théâtrale” (I, 7), et Corneille n'a pas jugé bon de revenir là-dessus. Mais leur opposition doctrinale nous rappelle qu'à l'intérieur du premier courant se font jour deux tendances, qui mettent en œuvre des techniques différentes pour obtenir l'adhésion du spectateur. L'une préconise une technique d'illusion mimétique, fondée sur un respect absolu de la vraisemblance dans tous les compartiments du spectacle, technique beaucoup plus soucieuse de la verticalité du texte dramatique, c'est-à-dire de son rapport avec la réalité qu'il prétend représenter, que de sa narrativité. L'autre, au contraire, privilégie le fonctionnement horizontal du discours dramatique, sa narrativité, et captive le spectateur par une technique de *dramatisation* de l'action, qui repose sur des effets comme “agréable suspension”, surprise, terreur, admiration. Face à l'illusion mimétique, l'illusion comique.

« Aussi tiendrions-nous volontiers la comédie qui porte ce nom pour emblématique du théâtre de Corneille, si cela pouvait ne pas être reçu comme une sorte d'estampille baroque. Nous n'avons ci-dessus élargi le débat à l'esthétique générale du théâtre que pour éviter que l'on réduise la confrontation Corneille-d'Aubignac à une opposition baroque-classique, qui n'a pas de sens ici. *L'Illusion comique* nous paraît emblématique parce qu'elle expose sur la scène les rouages de l'esthétique de la surprise et qu'elle place sur le devant du théâtre la figure même du démiurge-dramaturge. Il aurait assurément fallu un singulier retournement de personnalité pour que le créateur de *L'Illusion comique* se soumette à un principe d'*effacement* de l'auteur dramatique tel que le préconisaient d'Aubignac et tous les "doctes" à travers lui. La confrontation des *Discours* et de *La Pratique du théâtre* indique sans conteste qu'après vingt-cinq ans Corneille n'a pas cessé de concevoir son rôle à l'image d'un Alcandre, plongeant son public dans l'illusion, l'entraînant où bon lui semble, le forçant à accepter ce qu'il lui présente ; bref d'un démiurge dont les coups d'éclat et d'arbitraire étourdissent et éblouissent le spectateur, révélant ainsi sa présence aux côtés de ses personnages, sur le devant de la scène. »

G. Forestier, « Illusion comique et illusion mimétique », *Papers on French seventeenth century literature*, XI, 1984, p. 377-391.

5 — *Le décor dans* L'Illusion comique *: un problème de scénographie*

Faute d'indications précises, nous sommes réduits à des hypothèses pour tenter de reconstituer le décor de *L'Illusion*. La multiplicité des lieux évoqués dans le texte de la comédie ne va pas sans soulever quelques difficultés quand on s'efforce de comprendre comment les premiers spectateurs ont pu voir représenter *L'Illusion*, et surtout quelle idée Corneille se faisait, en termes de mise en scène, de l'articulation des différents niveaux de l'action représentée, de la grotte d'Alcandre à l'évocation de la vie de Clindor, et à son activité de comédien au cinquième acte, compte tenu des possibilités techniques et des usages de la scène dans les années 1630.

Pour signifier les nombreux changements de lieux qui sont la règle dans la tragi-comédie, les comédiens avaient à leur disposition la formule du décor simultané à compartiments, héritée de la tradition médiévale des mystères. Les compartiments divisaient le fond de scène de part et d'autre d'un espace central et leur nombre variait, selon les cas, entre trois, cinq et sept. Ils recevaient une décoration et un mobilier propres à figurer le lieu représenté, et plus ou moins fournis selon les moyens de la troupe, qui négligeait d'ailleurs le plus souvent cet élément du spectacle au profit des costumes. Les comédiens se tenaient d'abord dans le compartiment correspondant au lieu évoqué pour informer le spectateur de chaque changement, puis venaient jouer à l'avant-scène. Une toile peinte pouvait masquer un compartiment, ou en révéler le contenu, selon les besoins de la mise en scène.

Compte tenu de ces informations, on peut se figurer la disposition générale des différents lieux de *L'Illusion comique.* Reste à déterminer la place et l'évolution d'Alcandre et de Pridamant pendant le « spectacle » des actes II, III et IV, et celui du dernier acte. R. Garapon, dans son édition critique de la pièce, propose la solution suivante :

> « Voici ce que nous pouvons imaginer en nous inspirant des croquis de Mahelot [1] lui-même et en tenant compte des modifications de décor mentionnées dans le texte de notre comédie ou impliquées par lui. Au commencement de la pièce, le théâtre devait offrir au regard des spectateurs : à une extrémité, la grotte du magicien ; à l'autre extrémité, la prison de Clindor ; au centre, un rideau qui allait être tiré à la scène 2 du premier acte pour laisser voir, sur un fond de jardin, les habits des comédiens mis "en parade". Au début du second acte, on devait descendre au centre une toile peinte représentant la maison de Géronte. Au début du cinquième, on relevait sans doute cette toile peinte, et l'on découvrait ainsi le fond de jardin où se déroulait la tragicomédie ; puis, à la fin de la scène 5, on devait fermer le rideau qui avait déjà servi au premier acte, en se réservant de l'ouvrir et de le refermer au milieu de la scène suivante, pour montrer le partage de la recette. En somme, on peut penser qu'un dispositif scénique très simple suffisait aux nécessités du spectacle, les deux ailes du théâtre conservant toujours la même décoration et le centre étant fermé soit par un rideau pouvant coulisser, soit par une toile peinte qu'il était facile d'abaisser ou de remonter, soit enfin par un fond de jardin fixe.
>
> « On ne saurait trop le répéter : *L'Illusion comique* est peut-être devenue une féerie à grand spectacle en 1937, par la volonté de Louis Jouvet, mais elle ne l'était nullement en 1635. »

Robert Garapon, édition de *L'Illusion comique*, STFM, 1957, p. XIX-XXI.

---

1. Laurent Mahelot était le décorateur de l'Hôtel de Bourgogne. Le registre dans lequel il consignait les détails de la scénographie pour les spectacles dont il avait la charge nous est parvenu et constitue un document unique sur le travail de mise en scène dans les années 1630.

Cette proposition a été contestée par Madeleine Alcover, dans un article paru en 1976. Son argumentation est étayée par un essai d'interprétation de la pièce :

« Ce que R. Garapon nous propose, c'est un décor multiple simultané avec quelques changements à vue concernant le fond, la "perspective" comme on disait alors. Il est de fait qu'il y a de nombreux exemples de ce genre de décor dans le Mémoire Mahelot. Pourtant on peut adresser à R. Garapon trois objections. Premièrement, sa représentation de la grotte comme un compartiment, au même titre que la prison ou la maison, est contestable. En ce faisant, il me paraît être infidèle à l'esprit de la pièce. Deuxièmement, la présence de la prison du début à la fin de la pièce est également contestable. La présence continue de la prison, absolument inutile et même incongrue pendant les actes I et V, supprime un élément de surprise qui est une des caractéristiques fondamentales de la pièce et de beaucoup de pièces de l'époque. Et je ne vois pas bien pourquoi, si la maison de Géronte n'apparaît qu'à l'acte II, la prison ne pourrait pas apparaître en même temps. Car le Mémoire de Mahelot nous donne des preuves que non seulement le décor du fond était sujet à des changements à vue, mais aussi les décors latéraux. Qu'il ne faille pas imaginer *L'Illusion comique* de 1635 à la lumière d'*Andromède*, nul ne le contestera à R. Garapon. Mais il faut tout de même rappeler qu'avant *L'Illusion comique* Corneille avait donné *Médée*, dont l'héroïne est également une magicienne et qui est déjà, à proprement parler, une *pièce à machines.* Le troisième point que j'objecterai à R. Garapon est son silence sur certains problèmes, silence qui rend la représentation qu'il propose difficilement compréhensible. En effet, au début de la pièce apparaissent le père et son jeune ami Dorante : avec le décor qu'il suppose, ils arrivent de nulle part.

« C'est pourquoi il faut, je crois, émettre l'hypothèse d'un décor différent qui devra, bien entendu, s'accorder aussi avec ce que nous savons des habitudes théâtrales de l'époque. Ce décor a dû être un peu plus rempli que ne l'a imaginé le critique. Corneille nous précisant qu'il s'agit d'une campagne, celle-ci pouvait facilement être représentée par une toile ou un décor solide représentant des arbres (décor latéral). Le père et Dorante devaient faire leur entrée sur scène en utilisant cet élément du décor et ainsi ils situaient immédiatement l'espace dans lequel ils évoluaient. La prison étant inutile pendant les actes I et V, elle était probablement cachée, comme la maison de Géronte, et apparaissait et disparaissait en même temps que cette dernière. Reste le problème de la grotte, représentée, à tort je pense, comme un compartiment. Il semble bien pourtant, comme certains critiques l'ont pensé, que le spectacle magique se déroule dans les profondeurs de la grotte, lieu de la magie où les personnages, les lieux et les temps n'obéissent plus aux critères de la réalité. N'est-il pas plus normal d'imaginer les deux spectateurs regardant le spectacle *de* et *dans* la grotte, que de les imaginer regardant de la grotte (comme compartiment) un spectacle se déroulant en pleine campagne ? C'est pourquoi je pense que la grotte n'était pas un compartiment, mais un lieu beaucoup plus grand qui *contenait* les autres éléments du décor ; elle ne contenait cependant pas tout le décor, car le prologue et l'épilogue se passent hors de la grotte. Mon hypothèse donne ceci, les décors de rochers représentant la grotte [les décors indiqués en italique sont des décors mobiles de toiles peintes].

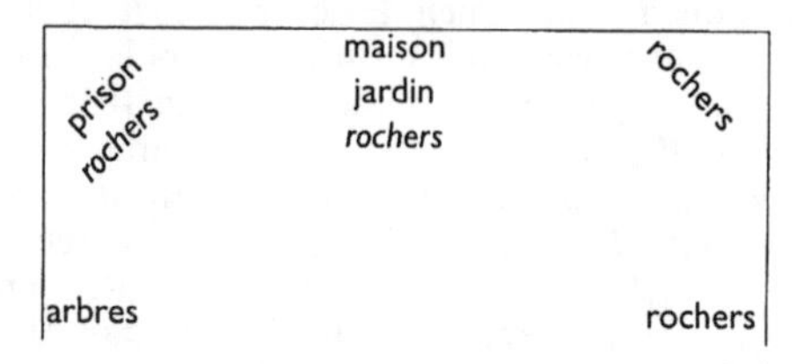

« La raison pour laquelle je propose ce décor n'est pas historique, bien que l'histoire ne le contredise pas et même l'autorise. La valeur de cette hypothèse est d'ordre littéraire ; elle souligne que *L'Illusion comique* est une pièce sur le phénomène théâtral. Comme l'a bien vu Robert J. Nelson, la grotte, c'est le théâtre, non pas seulement le plateau, mais toute la salle de théâtre : la partie la plus proche des spectateurs représente le parterre ; la partie la plus éloignée, la scène sur laquelle figureront, en temps voulu, les décors des actes II-III-IV et V ; quant à la profondeur de la grotte dans laquelle disparaissent à deux reprises le magicien et le père, elle constitue les coulisses (dans l'une comme dans les autres, c'est là que se trouvent les "secrets" du métier, la "machinerie"). Spatialement, il y a deux plans scéniques : celui du spectateur (père) et celui du spectacle. La grotte enfin, dans mon hypothèse, est une réplique, en ce qui concerne les lieux, du schéma concernant les personnages : elle est le *cadre* dans lequel se passe l'évocation et elle a une *double fonction* : elle est scène et salle de théâtre. »

Madeleine Alcover, « Les lieux et les temps dans *L'Illusion comique* », *French Studies*, XXX, 3, 1976, p. 393-404.

BIBLIOGRAPHIE[1]

ÉDITIONS DU TEXTE

L'édition critique du texte a été établie par R. Garapon, Paris, STFM, 1957.

Le texte de la pièce figure dans le premier tome de l'édition des *Œuvres complètes* procurée par G. Gouton dans la « Bibliothèque de la Pléiade », Gallimard, 1980, p. 611-688.

SUR LA LANGUE DU XVIIe SIÈCLE

Dictionnaire de l'Académie française, 1694.

BRUNOT, Ferdinand, *Histoire de la langue française des origines à 1900*, t. III, *La Formation de la langue classique*, 1600-1660, Armand Colin, 1931 (2e éd.).

FOURNIER, Nathalie, *Grammaire du français classique*, Belin, coll. « Belin Sup/Lettres », 1998.

FURETIÈRE, Antoine, *Dictionnaire universel*, 1690 (rééd. Le Robert, 1978).

LITTRÉ, Émile, *Dictionnaire de la langue française*, Hachette, 1863-1878.

MARTY-LAVEAUX, Charles, *Œuvres de Corneille*, vol. XI et XII (lexique), Hachette, coll. « Les Grands écrivains de la France », 1862-1868.

SUR LE CONTEXTE LITTÉRAIRE

ADAM, Antoine, *Histoire de la littérature française au XVIIe siècle*, Domat, 5 vol., 1948-1956 (rééd. Albin Michel, coll. « Bibliothèque de l'évolution de l'humanité », 3 vol., 1997).

1. Bibliographie mise à jour en 2008 par Arnaud Welfringer.

GÉNETIOT, Alain, *Le Classicisme*, PUF, coll. « Quadrige », 2005.

MESNARD, Jean (dir.), *Précis de littérature française du XVIIe siècle*, PUF, 1990.

MOREL, Jacques, *Histoire de la littérature française*, t. III, *De Montaigne à Corneille (1572-1660)*, Arthaud, 1986 (rééd. GF-Flammarion, 1997).

ROUSSET, Jean, *La Littérature de l'âge baroque en France, Circé et le paon*, José Corti, 1954.

SUR LE THÉÂTRE AU XVIIe SIÈCLE

BABY, Hélène, *La Tragi-comédie, de Corneille à Quinault*, Klincksieck, coll. « Bibliothèque de l'âge classique », 2001.

CONESA, Gabriel, *La Comédie à l'âge classique (1630-1715)*, Le Seuil, 1995.

DEIERKAUF-HOLSBOER, Sophie W., *Histoire de la mise en scène dans le théâtre français de 1600 à 1673*, Nizet, 1960.

FORESTIER, Georges, *Le Théâtre dans le théâtre sur la scène française du XVIIe siècle*, Genève, Droz, 1981.

GUICHEMERRE, Roger, *La Tragi-comédie*, PUF, 1981.

MOREL, Jacques, *Agréables mensonges. Essais sur le théâtre français du XVIIe siècle*, Klincksieck, 1991.

SCHERER, Jacques, *La Dramaturgie classique à l'âge classique*, Nizet, s.d. [1950].

SERROY, Jean et GILOT, Michel, *La Comédie de l'âge classique*, Belin, 1997.

STERNBERG, Véronique, *Poétique de la comédie*, SEDES, coll. « Campus », 1999.

ETUDES GÉNÉRALES SUR L'ŒUVRE DE CORNEILLE

OUVRAGES

BÉNICHOU, Paul, *Morales du Grand Siècle*, Gallimard, 1948 (rééd. Gallimard, coll. « Folio Essais », 1988).

CONESA, Gabriel, *Corneille et la naissance du genre comique*, SEDES, 1989.

COUTON, Georges, *Corneille*, Hatier, coll. « Connaissance des lettres », 1958.

DOUBROVSKY, Serge, *Corneille et la dialectique du héros*, Gallimard, 1963 (rééd. Gallimard, coll. « Tel », 1988).

FORESTIER, Georges, *Essai de génétique théâtrale : Corneille à l'œuvre*, Klincksieck, coll. « Esthétique », 1996 (rééd. Genève, Droz, coll. « Titre courant », 2004).

–, *Corneille. Le sens d'une dramaturgie*, SEDES, 1998.

FUMAROLI, Marc, *Héros et orateurs. Rhétorique et dramaturgie cornéliennes*, Genève, Droz, 1990.

LYONS, John D., *The Tragedy of Origins. Pierre Corneille and Historical Perspective*, Stanford University Press, 1996.

MERLIN-KAJMAN, Hélène, *Public et littérature au XVIIe siècle*, Les Belles Lettres, 1994.

–, *L'Absolutisme dans les lettres et la théorie des deux corps. Passions et politique*, Champion, 2000.

PAVEL, Thomas, *La Syntaxe narrative des tragédies de Corneille. Recherches et propositions*, Klincksieck, 1976.

PRIGENT, Michel, *Le Héros et l'État dans les tragédies de Corneille*, PUF, 1985 (rééd. PUF, coll. « Quadrige », 2008).

SCHERER, Jacques, *Le Théâtre de Corneille*, Nizet, 1984.

STEGMANN, André, *L'Héroïsme cornélien, genèse et signification*, Armand Colin, 2 vol., 1968.

SWEETSER, Marie-Odile, *Les Conceptions dramatiques de Corneille d'après ses écrits théoriques*, Genève, Droz, 1962.

–, *La Dramaturgie de Corneille*, Genève, Droz, 1977.

ARTICLES

BACKÈS, Jean-Louis, « La raison de la déraison. Essai sur la logique de la pointe », *Littérature*, XII, 48, décembre 1982, p. 106-121.

BOORSCH, Jean, « Remarques sur la technique dramatique de Corneille », *Yale Romanic Studies*, XVII, 1941, p. 101-162.

–, « L'invention chez Corneille. Comment Corneille ajoute à ses sources », dans *Essays in Honor of Albert Feuillerat*, 1943, p. 115-128.

CONESA, Gabriel, « Corneille et l'élaboration du langage comique au XVIIe siècle », *CAIEF*, XXXVII, mai 1985, p. 103-116.

–, « Corneille et la *mimèsis* comique », *Littératures classiques*, XI, 1989, p. 151-169.

DOSMOND, Simone, « Les confident(e)s dans le théâtre comique de Corneille », *PFSCL*, 1998, XXV, 48, p. 167-175.

ÉMELINA, Jean, « Corneille et la *catharsis* », *Littératures classiques*, 32, 1998, p. 105-120.

FORESTIER, Georges, « Une dramaturgie de la gageure », dans *Présence de Pierre Corneille*, Bibliothèque municipale de Rouen, 1984 (repris dans *RHLF*, 1985, 5, p. 211-819).

–, « Corneille et le mystère de l'identité », dans *Pierre Corneille, Actes du colloque de Rouen*, dir. Alain Niderst, PUF, 1985, p. 665-678.

–, « Théorie et pratique de l'histoire dans la tragédie classique », *Littératures classiques*, 11, 1989, p. 30-41.

–, « Corneille, poète d'Histoire », *Littératures classiques*, supplément au n° 11, 1989, p. 30-41.

–, « La naissance de la comédie cornélienne et le débat théâtral des années 1628-1630 », *XVIIe Siècle*, 166, 1990, p. 106-109.

GARAPON, Robert, « Le théâtre comique », *XVIIe Siècle*, 1953, 20, p. 259-265.

GAUBERT, Serge, « De la comédie des signes aux signes de la comédie », *Europe*, 1974, p. 76-86.

LASSERRE, François, « La réflexion sur le théâtre dans les comédies de Corneille », *PFSCL*, XII, 1983.

LOUVAT, Bénédicte, et ESCOLA, Marc, « Le statut de l'épisode dans la tragédie classique. *Œdipe* de Corneille ou le complexe de Dircé », *XVIIe Siècle*, 200, juillet-septembre 1998, p. 453-470.

MALLINSON, Jonathan, « Corneille et la comédie de la feinte », *CAIEF*, XXXVII, mai 1985, p. 87-101.

MARGITIC, Milorad, R., « Humour et parodie dans les comédies de Corneille », *PFSCL*, 1998, XXV, 48, p. 157-165.

MOREL, Jacques, « Le jeune Corneille et le théâtre de son temps », *L'Information littéraire*, 12, 5, 1960, p. 185-192.

–, « Corneille, metteur en scène », dans *Pierre Corneille, Actes du colloque de Rouen*, dir. Alain Niderst, PUF, 1985, p. 689-698 (repris dans *Agréables mensonges. Essais sur le théâtre français du XVIIe siècle*, Klincksieck, 1991, p. 154-163).

PEDERSEN, John, « Le joueur de rôles, un personnage typique des comédies de Corneille », *Revue romane*, 2, 1967, p. 136-148.

PICCIOLA, Liliane, « L'importance de la *commedia* dans l'évolution des comédies de Corneille », dans *Les Modèles de la création littéraire*, éd. M.-C. Gomez-Géraud et H. Levillain, Centre de recherches du département de français de Paris X-Nanterre, 1989, p. 59-69.
STAROBINSKI, Jean, « Sur Corneille », dans *L'Œil vivant*, Gallimard, 1961, p. 29-68.
ZIMMERMANN, Éléonore M., « L'agréable suspension chez Corneille », *French Review*, 40, 1966-1967, p. 15-26.

ÉTUDES SUR *L'ILLUSION COMIQUE*

COLLECTIFS

Corneille : Le Cid, L'Illusion comique, dir. Jean Emelina et Hélène Baby, SEDES, 2001.
Le Cid et L'Illusion comique de Pierre Corneille, dir. Olivier Leplatre, *L'École des lettres*, XCIII, 9, février 2002.
Lectures du jeune Corneille. L'Illusion comique et Le Cid, dir. Jean-Yves Vialleton, Presses universitaires de Rennes, 2001.

OUVRAGES

GARAPON, Robert, *Le Premier Corneille, de Mélite à L'Illusion comique*, CDU-SEDES, 1982.
LITMAN, Théodore A., *Les Comédies de Corneille*, Nizet, 1973, p. 143-175.
NADAL, Octave, *Le Sentiment de l'amour dans l'œuvre de Corneille*, Gallimard, 1948 (rééd. Gallimard, coll. « Tel », p. 117-119).
PICCIOLA, Liliane, *Corneille et la dramaturgie espagnole*, Tübingen, Gunter Narr Verlag, « Biblio 17 », 2002, p. 71-104.
ROUSSET, Jean, *La Littérature de l'âge baroque en France. Circé et le Paon*, José Corti, 1954, p. 204-205.
–, *L'Intérieur et l'extérieur. Essais sur la poésie et le théâtre du XVIIe siècle*, José Corti, 1968, p. 176-178.
VERHOEFF, Han, *Les Comédies de Corneille : une psycholecture*, Klincksieck, 1979, p. 85-116.

ARTICLES

ALBANESE, Ralph, « Modes de théâtralité dans *L'Illusion comique* », dans *Corneille comique. Nine studies of Pierre Corneille's comedy*, dir. M.R. Margitic, Paris/Seattle/Tübingen, *PFSCL*, « Biblio 17», 4, 1982, p. 129-150.

ALCOVER, Madeleine, « Les lieux et les temps dans *L'Illusion comique* », *French Studies*, 1976, 4, p. 393-404.

BABY, Hélène, « *L'Illusion comique* : un autre *Cid* ? ou On ne badine pas avec la mort », dans *Corneille : Le Cid, L'Illusion comique*, *op. cit.*, p. 97-128.

BLANC, André, « À propos de *L'Illusion comique* ou sur quelques hauts secrets de Pierre Corneille », *Revue d'histoire du théâtre*, 1984, 2, p. 207-217.

BLOCKER, Déborah, et RIBARD, Dinah, « Figure de l'instruction dans *L'Illusion comique* : la purgation par l'exemple », dans *Lectures du jeune Corneille. L'Illusion comique et Le Cid*, *op. cit.*, p. 127-142.

COSNIER, Colette, « Un étrange monstre : *L'Illusion comique* », *Europe*, 1974, 540-541, p. 103-113.

CUCHE, François-Xavier, « Les trois illusions de *L'Illusion comique* », *Travaux de linguistique et de littérature*, IX, 2, 1971, p. 65-84.

EMELINA, Jean, « De *L'Illusion comique* au *Cid* : les métamorphoses des héros », dans *Corneille : Le Cid, L'Illusion comique*, *op. cit.*, p. 61-78.

FORESTIER, Georges, « Illusion comique et illusion mimétique », *PFSCL*, XI, 1984, p. 377-391.

FUMAROLI, Marc, « Rhétorique et dramaturgie dans *L'Illusion comique* de Corneille », *XVIIe Siècle*, 80-81, 1968, p. 107-132.

–, « Illusion et illumination. Corneille poète "métaphysique" dans *L'Illusion comique* », dans *Théâtre en Europe*, octobre 1984, p. 7-14.

GAROFALO, Elena, « Poétique de la sentence dans *L'Illusion comique* », dans *Lectures du jeune Corneille*, *op. cit.*, p. 77-91.

GUILANI, Pierre, « Paternité et filiation dans *L'Illusion comique* et *Le Cid* », dans *Le Cid et L'Illusion comique de Pierre Corneille*, *op. cit.*, p. 127-138.

HUBERT, Judd D., « Le réel et l'illusion dans le théâtre de Corneille et de Rotrou », *Revue des sciences humaines*, juillet-septembre 1958, p. 333-350.

HUET, Jean-Yves, « *L'Illusion comique* et le mélange des genres », dans *Corneille : Le Cid, L'Illusion comique*, *op. cit.*, p. 49-59.

LAFFOND, Aurore, « L'image du comédien dans *L'Illusion comique* de Corneille », *Méthode !*, 1, 2001, p. 43-46.

LANDRY, Jean-Pierre, « La cape et l'épée. Le statut de l'objet théâtral dans *Le Cid* et *L'Illusion comique* », dans *Le Cid et L'Illusion comique de Pierre Corneille*, *op. cit.*, p. 127-138.

LEBÈGUE, Raymond, « Cet étrange monstre que Corneille a donné au théâtre », dans *Études sur le théâtre français*, t. II, Nizet, 1978, p. 7-24.

LOUVAT, Bénédicte, et ESCOLA, Marc, « Les genres de *L'Illusion comique* : pièces possibles et genres fantômes », dans *Corneille : Le Cid, L'Illusion comique*, *op. cit.*, p. 9-29.

MAGRIN, Anne-Laure, « Le théâtre dans le théâtre dans *L'Illusion comique* et *Le Cid* », dans *Le Cid et L'Illusion comique de Pierre Corneille*, *op. cit.*, p. 139-153.

MARPEAU, Elsa, « L'illusion narrative ou les mondes possibles dans *L'Illusion comique* », dans *Lectures du jeune Corneille*, *op. cit.*, p. 29-38.

MAZOUER, Charles, « Les épreuves de l'amour dans *L'Illusion comique* et *Le Cid* », dans *Corneille : Le Cid, L'Illusion comique*, *op. cit.*, p. 79-96.

MERLIN-KAJMAN, Hélène, « La scène publique dans *L'Illusion comique* et *Le Cid*. Fanfaronnades et bravades », *Littératures*, 45, automne 2001, p. 49-68.

NADAL, Octave, « L'illusion comique », *BREF*, t. XCIII, février 1966, p. 2-9.

NARCISSE, Véronique, « Plaisir et dépendances : considérations sur l'autorité dans *L'Illusion comique* et *Le Cid* », dans *Corneille : Le Cid, L'Illusion comique*, *op. cit.*, p. 129-143.

NELSON, Robert J., « Pierre Corneille's *L'Illusion comique* : the play as magic », *PMLA*, LXXI, 5, décembre 1956, p. 1127-1140.

NONI, Claire, « Matamore et le tueur de maures. Naissance de l'héroïsme cornélien dans *L'Illusion comique* et *Le Cid* », dans *Le Cid et L'Illusion comique de Pierre Corneille*, *op. cit.*, p. 93-111.

PEETERS, Leopold, « La grotte et le théâtre », *French Studies in Southern Africa*, 35, 2005, p. 94-114.

PEUREUX, Guillaume, « *L'Illusion comique*, une "pièce capricieuse" : les ruses du dramaturge », dans *Lectures du jeune Corneille. L'Illusion comique et Le Cid*, *op. cit.*, p. 17-27.

PILAUD, Christiane, « *L'Illusion comique* : le triomphe de l'éloquence », dans *Le Cid et L'Illusion comique de Pierre Corneille, op. cit.*, p. 3-20.

PRASSOLOFF, Annie, « L'écriture et l'écrivain dans *L'Illusion comique* », *Textuel*, 17, 1985, p. 19-25.

RUBIN, David L., « The hierarchy of Illusions ans the structure of *L'Illusion comique* », dans *La Cohérence intérieure, Mélanges Judd D. Hubert*, Jean-Michel Place, 1977, p. 75-93.

SCKOMMODAU, Hans, « Die Grotte der *Illusion Comique* », dans *Wort und text, Festschrift für Fritz Schalk*, Francfort-sur-le-Main, Vittorio Klostermann, 1963, p. 281-293.

SELLSTROM, A.D., « *L'Illusion comique* of Corneille : the tragic scenes of act V », *Modern Language Notes*, juin 1958, p. 421-427.

SOARE, Antoine, « Sur un passage mal éclairé de *L'Illusion comique.* Les métiers de Clindor dans le récit d'Alcandre », dans *Les Arts du spectacle au théâtre (1550-1700)*, dir. M.-F. Wagner et C. Le Brun-Gouanvic, Champion, 2001, p. 109-141.

STERNBERG, Véronique, « Le comique de l'illusion : ornement ou marque d'un genre ? », dans *Corneille : Le Cid, L'Illusion comique, op. cit.*, p. 31-48.

VAN DER SCHUEREN, Éric, « "Quelque autre manière plus artificieuse." *L'Illusion comique* de Corneille ou les voies d'un plaisir naturel », *Littératures*, 45, automne 2001, p. 69-94.

VUILLEMIN, Jean-Claude, « Illusions comiques et dramaturgie baroque. Corneille, Rotrou et quelques autres », *PFSCL*, XXVIII, 55, 2001, p. 307-325.

WHITAKER, Marie-Joséphine, « *L'Illusion comique* ou l'école des pères », *RHLF*, 1985, 5, p. 785-798.

LEXIQUE

A

ALARME : frayeur ; s'alarmer : s'effrayer.

AMANT : qui aime une personne du sexe opposé (v. 402 ; 816 ; 1251) ; qui aime et qui est aimé en retour.

AMOUREUX : qui aime sans être aimé.

ACCIDENT : selon l'étymologie latine (*accidere*), tout ce qui arrive, tout événement heureux ou malheureux. V. 342 : conséquence malheureuse.

APPAS : amorce (v. 1439 ; 1643) ; attrait. L'orthographe du XVIIe siècle ne distingue pas appât et appas.

ART : savoir technique (dans le cas d'Alcandre, *art* signifie *magie*) ; activité artistique (v. 1765) ; artifice (v. 1335).

C

CHARME : selon l'étymologie latine (*carmen*), manifestation, en acte ou en parole, d'un pouvoir magique ; dans la langue de l'amour (qui conserve quelque souvenir du sens premier), attrait, séduction.

COMMERCE : présence habituelle ; fréquentation.

CONDITION : rang social.

CONTENT(E) : satisfait(e).

D

DÉBILE : faible.

DÉSORDRE : bouleversement.

E

EFFORT : tentative (v. 907 ; 1531) ; violence (v. 1564 ; 1572 ; 1685 ; 1741).

ENNUI : tourment violent.

ÉTONNER : sens fort : frapper de stupeur.

EXERCICE : occupation, métier.

F

FATAL : qui porte la mort.

FEU : amour.

FLAMME : ardeur amoureuse.

FOI : fidélité ; parole donnée ; crédulité (v. 439).

FORTUNE : sort ; condition heureuse ou malheureuse qui échoit à chacun par le sort.

FUNESTE : mortel ; qui présage la mort.

H

HASARD : risque. HASARDER : risquer.

HEUR : bonheur (latin *augurium*).

HONNEUR : reconnaissance des mérites d'un individu (v. 123, 191, 272, 394, 1559, 1679, 1819) ; sentiment de ce qu'on se doit à soi-même (v. 560, 852, 1375, 1382, 1383, 1674, 1675, 1688) ; distinction particulière (v. 243, 613, 635, 637, 953, 1332, 1428, 1455, 1779).

HYMEN, HYMÉNÉE : mariage.

M

MAÎTRESSE : femme aimée.

O

OBJET : dans la langue précieuse, personne aimée.

OMBRE : prétexte.

P

PAS UN : aucun, personne (locution fréquente chez Corneille).

PRUDENCE : sagesse (du latin *prudentia*).

S

SÉDUIRE : tromper, leurrer.

SÉJOUR : lieu.

SUBORNER : corrompre ; séduire.

SERVICE : dans le vocabulaire galant, « attachement qu'un homme a auprès d'une dame, dont il tâche d'acquérir les bonnes grâces » (Furetière).

SOIN : souci.

V

VERTU : grandeur d'âme.

Composition et mise en page

N° d'édition : L.01EHPN000221.C005
Dépôt légal : août 2008
Imprimé en Espagne par Novoprint (Barcelone)